المدخل إلى العربية الحديثة
Modern Standard Arabic
Introductory Book

تأليف

منى معاليقي فرّا
Mona Maaliki Farra

تصميم وإخراج: مصطفى عبد المجيد

رسوم : مؤسسة بن الماس، ومن حقوق معهد بيرلتز الإمارات .

ISBN: 1-59104-486-3

First Printing - May 2005
Printed in UAE

Berlitz U.A.E.

Po. Box: 41720 Abu Dhabi - United Arab Emirates
email:berlitz@emirates.net.ae

Modern Standard Arabic
Introductory Book

*L*earning a new language seems difficult for some and effortless for others. But it certainly offers numerous advantages such as breaking the cultural barriers, bringing people closer and helping them communicate.

There are many reasons why you may want to learn Modern Standard Arabic. The most compelling one is to come closer to the people with whom you live, work or do business with on a regular basis.

Important Facts

*   Arabic is spoken by about 160 million people. It is the common language of the crescent of the Middle East, the Gulf, North Africa, and the Arab Peninsula.

*   The Arab World is a leading hub for international business and concerns due to the oil wealth and some unsolved political issues in the area.

*   Arabic is the language of Islam used by 600 million Moslems.

*   More than 1,000 English words derive from Arabic.

*   During the Middle Ages (8th to 13th centuries), Arabic cultural influences led to many developments in Europe which contributed to the Renaissance. The Arabic language was a key vehicle in the conveyance of scientific advances and ideas.

This book teaches Arabic to those with no previous knowledge of the language. It is addressed to those interested in learning the basic classical Arabic language that is taught in schools, universities, read in books, magazines and newspapers and heard on television/radio.

This book teaches you how to read, write and speak basic Arabic.

You will be able to:

*   participate in simple conversations
*   read and understand written texts of moderate difficulty and
*   write simple, correct sentences

مقدمة المؤلف

لقد بات تعلم اللغة العربية وتعلم أصولها ومبادئها حاجة ضرورية لما للعالم العربي من أهمية استراتيجية وثقافية واقتصادية ؛ مما يدفع الكثير من غير العرب إلى تعلم اللغة العربية لفهم الذهنية العربية والاندماج في المجتمع العربي والتعرف على حضارة الشرق ، وخاصة أن ثورة الإتصالات الحديثة أوجدت تواصلاً بين الشرق والغرب .

هذا الواقع قد أدى إلى ظهور الكثير من الكتب التي عنيت بتعليم اللغة العربية لغير أبنائها ، ولقد اطلعت على الكثير منها .

وحين انتقلت للعمل كمدرسة في معهد بيرلتز أوكلت إليَّ السيدة ليلى شهاب المديرة العامة لمراكز بيرلتز (الإمارات) مهمة العمل لوضع كتاب يهتم بتعليم العربية لغير الناطقين بها ؛ فكان هذا الكتاب نتيجة عمل دؤوب وخبرة طويلة قضيتها في تدريس اللغة العربية لمدة تزيد عن الثلاثين عاماً .

وإني لأرجو أن أكون قد نجحت في اتباع الأساليب المنهجية الصحيحة في تعليم اللغة العربية ، وأن يسهم هذا الكتاب في تخطي الدارسين للصعوبات التي تواجههم في قراءة وكتابة اللغة العربية لتستطيع لغتنا

العربية أن تؤدي وظيفتها الاجتماعية والإنسانية والثقافية ؛ فتكون لغة تواصل بين الشعوب العربية وبين الغرب ، وخاصة أن العالم اليوم يشهد انفتاحاً على العالم الغربي وإقبالاً على تعلم لغتنا الحضارية الجميلة .

وفي الختام أوجه عميم شكري لإدارة بيرلتز على الثقة التي أولتني إياها ، وآمل أن يلقى عملي هذا كل استحسان وقبول ، ، والله ولي التوفيق

المؤلفة
منى معاليقي فرّا

المقدمة

يسـر معهد بيرلتز الإمارات أن يقدم للدارسين الأفاضل من غير العرب كتابَ «المدخل إلى العربية الحديثة»، الذي يعتمـد علـى اللغـة السـهلة الواضحة .

إن كتابنا هذا يشتمل علـى تسـع وحدات دراسية، عرضنا في سبعة منها الحـروف الهـجائيـة دون اتبـاع النظـام الألفبـائي، ولقـد قدمنا في كل وحـدة أربعة حروف مع ستة أصوات، ولقد أظهرنا كيفية كتابة الحروف العربية بجـميـع أشكالهـا (منفصلة، وفي أول الكلمة، وفي وسـطها، وآخـرها)، ولقـد ركـزنـا أولاً علـى الأصـوات باللغـة الإنجليزية ثم ربطناهـا بما يقابلهـا باللغـة العربيـة ممـا يسـهل علـى الدارسين أن يربطوا بينهـا وبين لغتهم الأم ؛ ولكن هناك بعض الصعوبات حيث أن بعض الأصوات العربيـة ليس لها ما يقابلهـا في لغتهم مثـل الحـاء والخـاء، العين والغين إلخ .. ؛ لذلك أوردنا بعض التدريبات لمواجهة تلك الصعوبات ولقد خصصنا في نهاية كل وحدة تمارين منوعة قرائية وكتابية ، كما أشـرنا إلى الحروف التي تتصل بما قبلها والتي لا تتصل بما بعدها مثل (أ، د، ذ، ر، ز، و) .

أما الوحدة الثامنة فلقد بدأناها بمراجعة شاملة للمهارات اللغوية نظراً

لأهميتها بالنسبة للدارسين مثل أل الشمسية وأل القمرية ، الشدة ، التنوين ، الألف المقصورة ، همزة الوصل وهمزة القطع ، بالإضافة إلى بعض النصوص الهادفة مع الالتزام باللغة السهلة البسيطة .

أما الوحدة التاسعة والأخيرة فقد خصصت للتعرف على بعض العادات والتقاليد العربية من حيث السلام والتعارف ، الوطن العربي ، العواصم ، العائلة ، التقويم الهجري والميلادي ، أماكن العبادة والصلاة ، الصوم ، الوقت ، الفصول الأربعة ، الألوان والأرقام .

نتمنى أن ينال كتابنا هذا كل استحسان وقبول من جميع الدارسين ، والزملاء ، آملين أن يسهم هذا الكتاب في تخطي السلبية في تعليم اللغة العربية ، وأن يكون لغة تواصل بيننا وبين الشعوب الأخرى .

خطوات التدريس

نظراً لدور المعلم الكبير في العملية التعليمية الناجحة ؛ فلقد رأينا أن نقدم بعض الخطوات للاستفادة منها .

مرحلة المحادثة والقراءة : قد يعرض المعلم صورة الدرس الجديد ليتعرف الطالب على صوت الحرف باللغة الأجنبية ومن ثم عرض الصورة العربية للربط بينهما حيث يتعرف الطالب على الصورة ثم الكلمة ثم الحرف المقصود بالعربية .

استمع : أن يستمع الطالب إلى كلمات الدرس دون النظر إليها عن طريق المعلم أو المسجل وعلى المعلم أن يقرأ على مهل ، وكلما وصل إلى الحرف الجديد أعلى نبرته .

استمع وانظر : أن يربط الطالب بين ما سمعه من المعلم مع النظر إلى الكتاب .

استمع وانظر وأعد : أن يعيد الطالب ما سمعه من المعلم مع مراعاة اللفظ الصحيح والنطق السليم دون إهمال لحروف التفخيم والترقيق وصولاً إلى مخارج الحروف لأن الإهمال يؤدي إلى عيوب في النطق والقراءة .

البطاقات : قد يعرض المعلم البطاقات ويطلب من الطالب قراءتها أو تجريد بعض الحروف وكتابتها على السبورة ، ثم كتابة الكلمات ليتأكد من رسوخها في ذهن الطالب .

ملاحظة : تم تسجيل جميع الدروس إضافة إلى النصوص في الوحدة الثامنة .

المرحلة التحريرية

١- على المعلم أن يبين بوضوح كيفية كتابة الحرف المطلوب بالطريقة الصحيحة مع الاتجاه من اليمين إلى اليسار.

٢- على الطالب أن يحاكي المعلم في رسم الحرف ثم الكلمات الموجودة في الكتاب.

٣- لقد أوردنا في نهاية كل وحدة بعض التدريبات التعليمية التقويمية التي تهدف إلى قياس قدرة الطالب على القراءة والكتابة الصحيحة.

أ- أن يكتب الطالب الكلمات في مكانها المناسب لأصوات الحرف.

ب- أن يكتشف الطالب الحرف المشترك بين كل مجموعة ويكتبه داخل المربع.

جـ- أن يحلل الكلمات إلى مقاطع صوتية وحروف.

د- أن يصل الحروف ويركب منها كلمات مع وضع الحركات القصيرة.

وعلى المعلم أن يقرأ الكلمات صحيحة، ثم يقوم بتصويب الأخطاء إن وجدت للطالب.

هـ- الحروف المتشابهة في اللفظ: على المعلم أن يقرأ مثلاً (صام، سام) ويسأل إذا كان هناك فرق ثم يقرأ ثانية (سام، سام) ويسأل السؤال نفسه ليتأكد من تمييز الدارسين الفرق بين الأصوات المتشابهه.

٤ – الإملاء : لقد اخترنا في نهاية كل درس عدد من الكلمات ليقوم الطالب بنسخها .

كما أفردنا في نهاية كل وحدة مكاناً مخصصاً للإملاء ، وقد تركت للمعلم حرية اختيار الكلمات أو الجمل القصيرة حسب ما يراه مناسباً لقدرات الطلاب .

أسد

باب

تاج

ثلج

جمل

حمامة

خروف

دب

ذئب

رأس

زرافة

سرير

شجرة

صنارة

ضفدعة

طبل

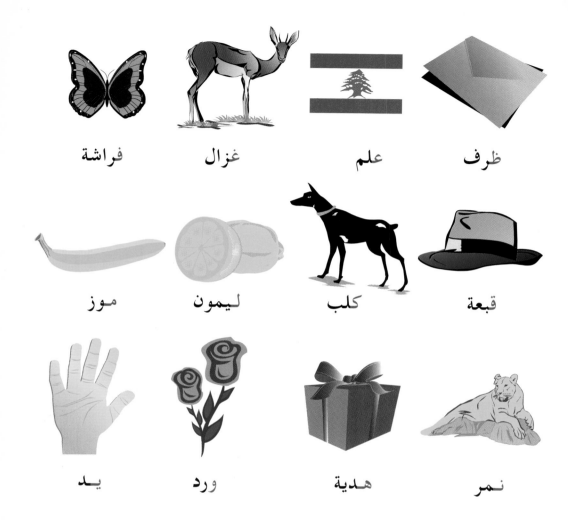

ظرف

علم

غزال

فراشة

قبعة

كلب

ليمون

موز

نمر

هدية

ورد

يد

د ر ب س

دب

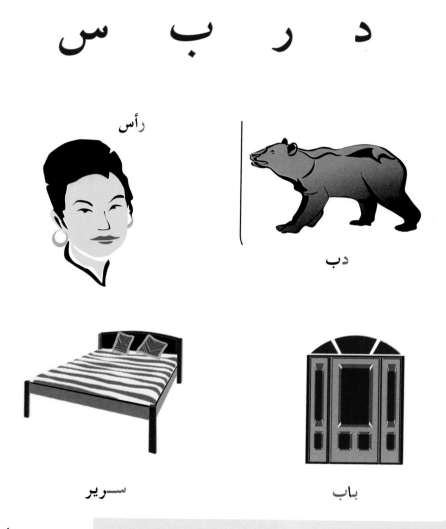

رأس

باب

سـريـر

د

sound ‘d’

‘d’ for dancer

dancer

دَ (da) ____________

دُ (du) ____________

دِ (de) ____________

دا (daa) ____________

دو (doo) ____________

دي (dee) ____________

دَاسَ (daasa) stepped ____________

دَرَسَ (darasa) studied ____________

دين (deen) religion ____________

دود (dood) worms ____________

دَ

دُ

دِ

دا

دو

دي

دَ دُ دِ

دولاب

يـد

ورد

دا	دو	دي	دا
دو	دي	دا	دو
دي	دا	دو	دا
دادا	دودي	دادي	دودا

دادا دودو دي دادي

....

....

* ملاحظة: حرف «د» لا يتصل بما بعده. doesn't connect

rope

'r' for rope

ر

sound 'r'

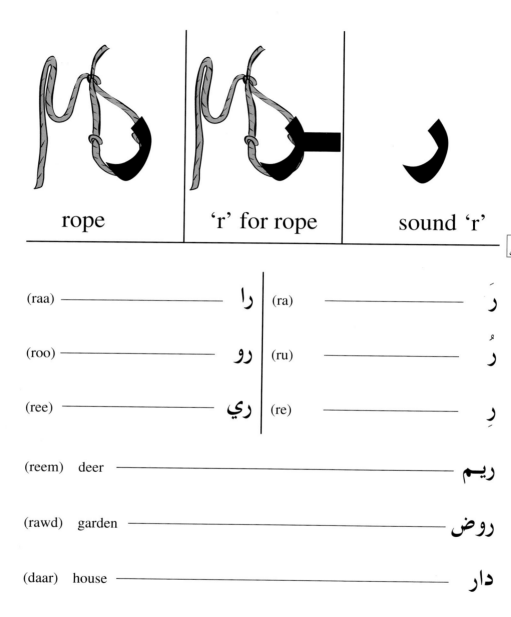

رَ (ra) ______ | را (raa) ______

رُ (ru) ______ | رو (roo) ______

رِ (re) ______ | ري (ree) ______

ريم (reem) deer ______

روض (rawd) garden ______

دار (daar) house ______

داري (daaree) my house ______

رَ	را
رُ	رو
رِ	ري

رَ ـرُ ـرِ

راديو

درج

صقر

رُ رو را ري

رِ ري رو را

دارَ رارا رورو رادَ

دوري داري دارُ دورُ

رارو ردود رادي داري

....

....

* ملاحظة: **حرف «ر» لا يتصل بما بعده.**

ب

sound ‘b’

‘b’ for basket

basket

بَ (ba) ______ | با (baa) ______

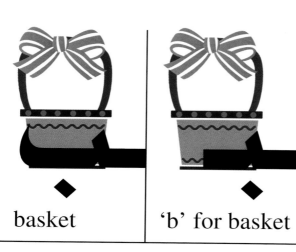

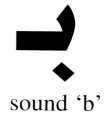

بُ (bu) ______ | بو (boo) ______

بِ (be) ______ | بي (bee) ______

باب (baab) door ______

بابا (baba) daddy ______

بيت (bayt) home ______

بدو (badoo) bedouin ______

بَ

بُ

بِ

با

بو

بي

بـَ ـبُـ ـبِ

بقرة

إبرة

كتاب

بابا	بُرودُ	بابي	دابَ
بابُ	رَبابُ	بَرَدَ	دَرْبُ
دُروبُ	بارَ	بدورٌ	باري
بارِدُ	بَرْدُ	بادي	بورُ

راب بوبي بَرَدَ بابا

....

....

سـ

sound ‘sss’

‘s’ for spider

spider

سَ (sa) ____________________ سا (saa) ____________________

سُ (su) ____________________ سو (soo) ____________________

سِ (se) ____________________ سي (see) ____________________

دَرَسَ (darasa) studied ____

سَرير (sareer) bed ____

راس (raas) head ____

سَ	سا
سُ	سو
سِ	سي

سَـ   ـسُـ   سِ

سمكة

أسد

شمس

سورُ   سدْرُ   ساسَ   ساري

داسَ   راسَ   سَرَدَ   سارَ

سادَ   باسَ   دَرَسَ   سَرَابُ

سرير   رُسوب   دروس   سُرور

سَ   سو   سا   سي   داسَ

....

....

HW:

أرسم دائرة حول الصوت (دا) ومربعاً حول الصوت [دي]

دارَ   دوري   داسَ   بادي   دور

ديب   دابَ   دادو   رباب   دودي

أرسم دائرة حول الصوت (بُ) ومربعاً حول الصوت [با]

بَرَدَ   باردُ   بارود   دُروبُ   سَرابُ   ربابُ

أرسم دائرة حول (سَ) ومربعاً حول [سو]

سوسي   داسَ   باسَ   دَرَسَ   سورُ.

أرسم دائرة حول (رَ) ومربعاً حول [دو]

بَرَدَ   بدورْ   سادَ   دَرَسَ   سَرَدَ   دوري   داري

أكتب (دَ) في المكان الفارغ:

...رَسَ ،   ...ارَ ،   بـا...

...اسَ ،   بَرَ... ،   بارِ...

سَرَ... ،   با...رَ ،   بُرو...

حلل الكلمات إلى مقاطع صوتية كما في المثال:

الكلمة	المقاطع
دَرَسَ	دَ ، رَ ، سَ
بابُ	.... ، ....
بارِدُ	.... ، .... ، ....
دوري	.... ، ....
سارَ	.... ، ....

ركب كلمات من المقاطع كما في المثال:

المقاطع	الكلمة
بَـ ، ـرَ ، دَ	بَرَدَ
دا ، ري	....
سَـ ، ـرَ ، دَ	....
با ، رِ ، دَ	....
دا ، سَ	....

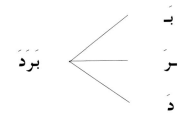

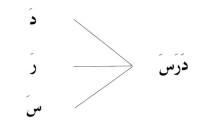

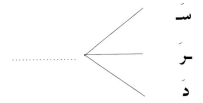

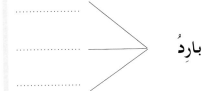

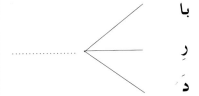

اكتب الحرف المشترك داخل المربع:

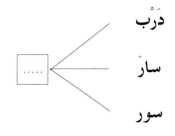

دَرْب
سارَ
سور
[.....]

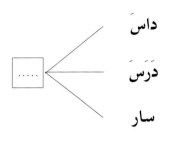

داسَ
دَرَسَ
سار
[.....]

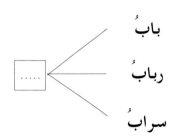

بابُ
ربابُ
سرابُ
[.....]

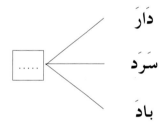

دَارَ
سَرَد
بادَ
[.....]

إملاء:

١ – ....

٢ – ....

٣ – ....

٤ – ....

٥ – ....

٦ – ....

٧ – ....

٨ – ....

٩ – ....

١٠ – ....

....
١٠

مراجعة الحروف:

« د » دادا دودي دادي دود

« ر » دارُ دورُ رورو دوري داري

« ب » بابا بابُ بابي ربابُ بَرَدَ دَرْبُ

بادَ بارَ بارِدُ بَرْدُ بادي دُروبُ

بورُ دَرْبُ بُدورُ بَريدُ بارودُ

« س » داسَ راسَ سَاسَ سارَ سادَ ساري

سورُ سِدْرُ دَرَسَ سَرابُ سريرُ سُرورُ

ع ز ن ش

علم

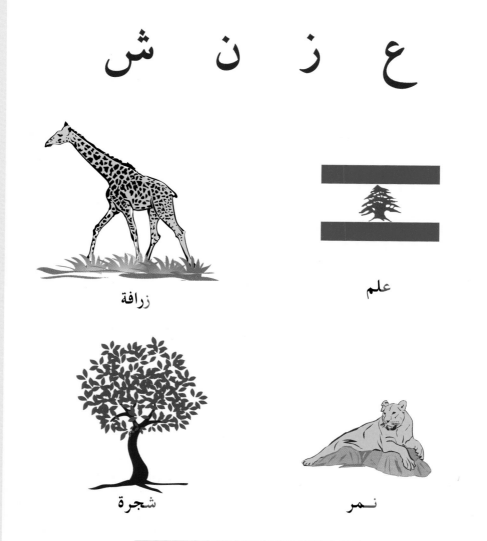

زرافة

نمر

شجرة

الوحدة الثانية

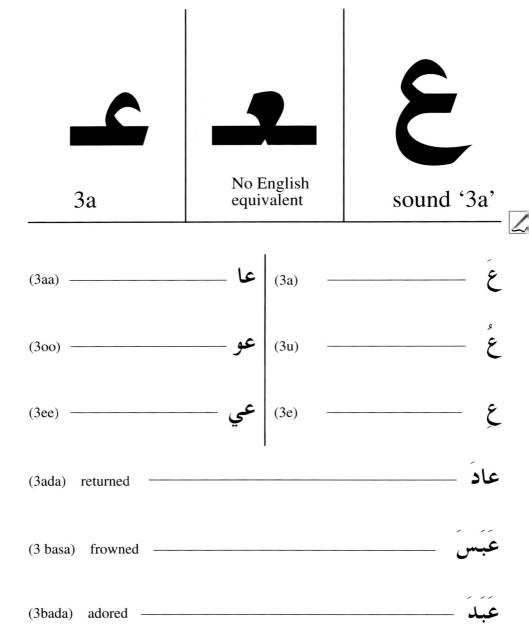

عـ	ـعـ	ع
3a	No English equivalent	sound ‘3a’

عَ (3a) ______

عا (3aa) ______

عُ (3u) ______

عو (3oo) ______

عِ (3e) ______

عي (3ee) ______

عادَ (3ada) returned ______

عَبَسَ (3 basa) frowned ______

عَبَدَ (3bada) adored ______

عَ
عُ
عِ

عا
عو
عي

عـَ ـعُـ ـعِ

عروس

يلعب

ربيع

عَابَ	عادَ	باعَ	عَبَرَ
رَعَدَ	رَدَعَ	بَرَعَ	دَعَسَ
عَابِرُ	عَابِدُ	سَعِيدُ	ربيعُ
عَبْدُ	بعيدُ	عَبَيدُ	عَرُوسُ

ساعَدَ باعَ عادَ ربيعُ

....

....

ز

sound ‘z’

‘z’ for zebra

zebra

زَ	(za)	زا	(zaa)
زُ	(zu)	زو	(zoo)
زِ	(ze)	زي	(zee)

زَرَعَ (zara3a) planted ______

زارَ (zaara) visited ______

زبيب (zabeeb) raisins ______

زَ

زُ

زِ

زا

زو

زي

زَ ـزُ ـزِ

زر

جزر

أرز

زازا	زوزو	رازي	نازي
زارَ	زَرَعَ	دَرَزَ	زَرَدَ
زَرْعُ	زُرُوعُ	زارِعُ	زيرُ
عَزيزُ	زَبيبُ	زيزي	زاد

زارَ نَزَعَ زوزو زَرَعَ

....

....

* ملاحظة: حرف «ز» لا يتصل بما بعده.

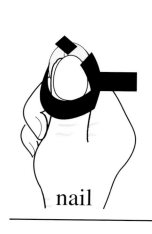

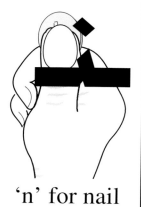

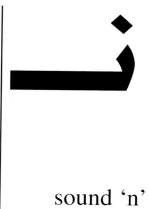

nail | 'n' for nail | sound 'n'

نَ (na) ______

نُ (nu) ______

نِ (ne) ______

نا (naa) ______

نو (noo) ______

ني (nee) ______

ناس (naas) people ______

نور (noor) light ______

نَزَعَ (naza3a) removed ______

نَعنَع (na3an3a) mint ______

نَ
نُ
نِ

نا
نو
ني

نَ ـنُـ ـنِ

نار

بانَ عانَ دانَ زانَ
نارُ نورُ نابُ نَبْع
نَعِسَ نُعاسُ عَدَنُ عَدنانُ
نَزورُ نَعودُ نَبيعُ نَدورُ

عنب

زيتون

نارُ نابُ عِنَبُ رَنين

....

....

shark	'sh' for shark	sound 'sh'

(shaa) ——————— شا	(sha) ——————— شَ
(shoo) ——————— شو	(shu) ——————— شُ
(shee) ——————— شي	(she) ——————— شِ

(sho3'oor)   feelings ———————————————— شُعور

(shaadee) proper noun —————————————— شادي

(nasheed) anthem —————————————— نَشيد

(shahr)   month ————————————————— شَهر

شَ
شُ
شِ

شا
شو
شي

شَـ ـشُـ ـشِ

شباك
فراشة
عش
شابَ	عاشَ	شاعَ	شَعر
شَرِبَ	نَشَرَ	شَرَدَ	شَبِعَ
شَرابُ	نَشيدُ	ريْشُ	شارِبُ
ناشِرُ	شُعورُ	شُعوبُ	شِراعُ

عاشَ شاعَ شَعْرُ شَبِعَ

....

....

مراجعة عامة

ع	ز	ن	ش
عادَ	زارَ	نارُ	شاعَ
باعَ	زَرَدَ	نورُ	عاشَ
بَعيدُ	دَرَزَ	نابُ	شَعَرَ
سعيدُ	زَرَعَ	نَبعُ	نَشَرَ
عابدُ	رازي	نَعيمُ	شَرابُ
عابرُ	زادي	نوري	نَشيدُ
ربيعُ	زارِعُ	زانُ	عُشب
رعدُ	زروعُ	عِنبُ	ريشُ
دَعَسَ	زَبيْبُ	نَعودُ	شِعابُ
عَروسُ	زير	نبيعُ	شِراعُ
عَبيدُ	زادَ	نَدورُ	عش

مراجعة الحركات القصيرة والسكون :

دَ ـدُ ـدِ   سَـ ـسُـ ـسِ

زَ ـزُ ـزِ   عَـ ـعُـ ـعِ

رَ ـرُ ـرِ   بَـ ـبُـ ـبِ

نَ ـنُـ ـنِ   شَـ ـشُـ ـشِ

دَرَسَ   سَرَدَ   نَزَعَ   شَعَرَ

دُرِسَ   سُرِدَ   نُزِعَ   شُعِرَ

دَرْسُ   سَرْدُ   نَزْعُ   شَعْرُ

نَدْرُسُ   نَسْرُدُ   نَنْزَعُ   نَشْعُرُ

مراجعة الحركات الطويلة :

دا	را	با	سا
دو	رو	بو	سو
دي	ري	بي	سي
زا	عا	نا	شا
زو	عو	نو	شو
زي	عي	ني	شي

استمع ولاحظ الفرق بين الحركات القصيرة والطويلة :

شرِبَ – شارِبٌ ، شَرَعَ – شارِعٌ ، عَبَدَ – عابِدٌ

شَعْرٌ – شعور ، زَرْعٌ – زروعٌ ، دَرْسٌ – دُروسٌ

عَبَدَ – عبيدٌ ، سَعْدٌ – سُعودٌ ، رَعْدٌ – رُعودٌ

اكتب الكلمات في مكانها المناسب لأصوات الحروف :

عُنود	عود	عاش	عَبَرَ	بَعْدَ	ساعي	نَعِسَ
عَـ	عا	عُـ	عو	ـعِـ	عي	ـعْـ

زارع	نَزور	زَرَعَ	زيزُ	عازِب	نَزْرَعُ	نازي
زَ	زُ	زِ	زْ	زا	زو	زي

نادِرُ	عَنْ	نَبْعُ	بَدَنُ	نِسْرُ	داني	نور
نْ	نَـ	نا	نُ	نو	نِـ	ني

عاشَ	شُعوبُ	رَشيد	شِراعُ	عُشْبُ	نُشور	شادي
شْـ	شِـ	شا	شُـ	شو	شَ	شيـ

أكتب الحرف المشترك داخل المربع :

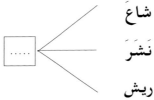

عَرْش
عَنْ
عِنَب
→ ......

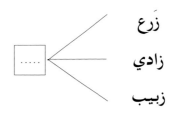

نور
عانَ
بانَ
→ ......

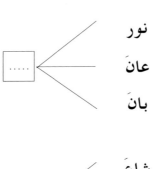

زَرع
زادي
زبيب
→ ......

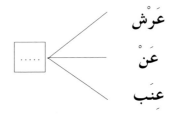

شاعَ
نَشَرَ
ريش
→ ......

إملاء :

١- .... ٢- .... ٣- ....

٤- .... ٥- .... ٦- ....

٧- .... ٨- .... ٩- ....

١٠- ....

....
١٠

تدريب كتابي

حلِّل الكلمات إلى مقاطع صوتية كما في المثال :

سَعيدُ ← سَـ / ـعيـ / ـدُ

عابِدُ ← .... / .... / ....

زارِعُ ← .... / .... / ....

عَزارُ ← .... / .... / ....

شُعوبُ ← .... / .... / ....

نوري ← .... / ....

داني ← .... / ....

نَدورُ ← .... / .... / ....

نَزورُ ← .... / .... / ....

عِنَبُ ← .... / .... / ....

....
١٠

صل الحروف وركِّب منها كلمات كما في المثال ثم حركها :

س + ع + ي + د   =   سَعيدُ

١- ع + ا + ب + ر   = ...

٢- ز + ر + و + ع   = ...

٣- س + ر + ي + ع   = ...

٤- ع + ن + و + د   = ...

٥- ز + ب + ي + ب   = ...

٦- ش + ب + ع + ا + ن   = ...

٧- ن + ش + ي + د   = ...

٨- ش + ر + ا + ب   = ...

٩- ش + ر + ا + ع   = ...

١٠- ن + ز + ر + ع   = ...

....
١٠

م ل و ي

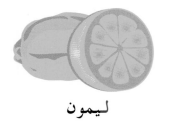

موز

لـيمون

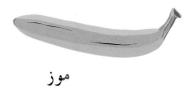

وردة

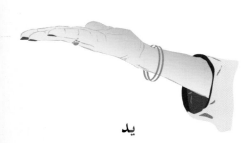

يد

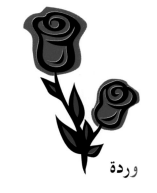

		مـ
mouse	'm' for mouse	sound 'm'

(maa) ________ ما | (ma) ________ مَ

(moo) ________ مو | (mu) ________ مُ

(mee) ________ مي | (me) ________ مِ

(madrasah) school ________ مدرسة

(dumoo3) tears ________ دمــوع

(maa') water ________ مــاء

(meelaad) birthday ________ ميلاد

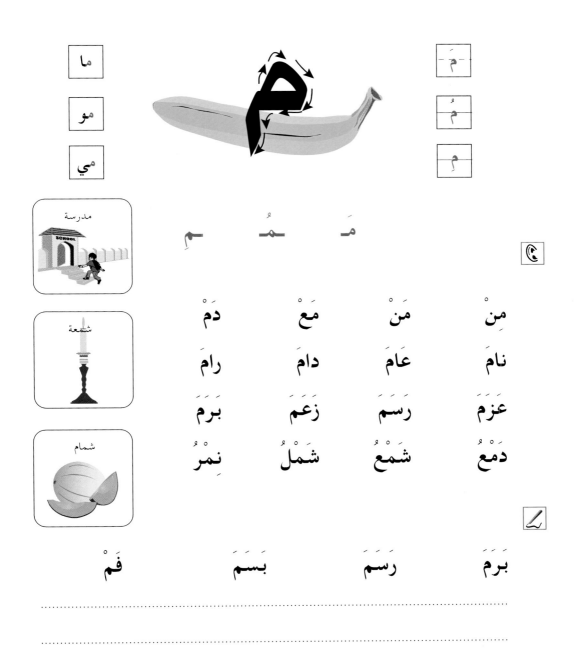

مَ
مُ
مِ

ما
مو
مي

مـَ ـمُـ ـمِ

مدرسة

مِنْ	مَنْ	مَعْ	دَمْ
نامَ	عامَ	دامَ	رامَ
عَزَمَ	رَسَمَ	زَعَمَ	بَرَمَ
دَمْعُ	شَمْعُ	شَمْلُ	نِمْرُ

شمعة

شمام

بَرَمَ رَسَمَ بَسَمَ فَمْ

....

....

		ل 
lamb	'l' for lamb	sound 'l'

(laa) ———————— لا	(la) ———————— لَ
(loo) ———————— لو	(lu) ———————— لُ
(lee) ———————— لي	(le) ———————— لِ

(labesa) got dressed ———————————————— لَبِسَ

(lama3a) sparkled ——————————————————— لَمَعَ

(3alema) knew ——————————————————— عَلِمَ

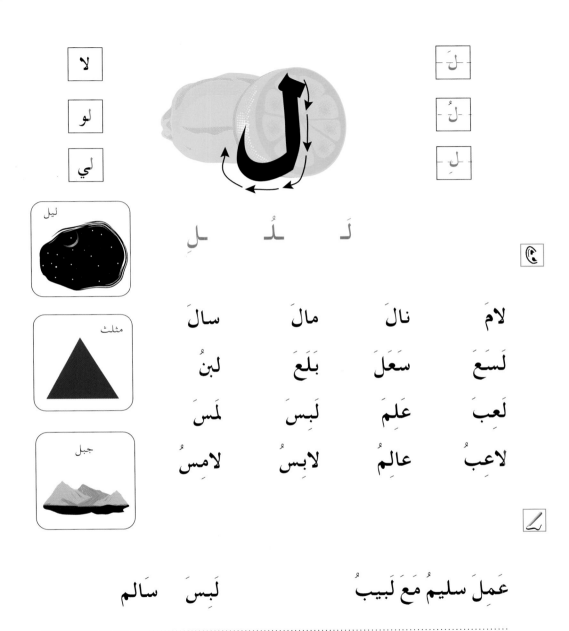

لَ

لُ

لِ

لا

لو

لي

ـلَ ـلُ ـلِ

ليل

مثلث

جبل

لامَ	نالَ	مالَ	سالَ
لَسَعَ	سَعَلَ	بَلَعَ	لبنُ
لَعِبَ	عَلِمَ	لَبِسَ	لَمَسَ
لاعِبُ	عالِمُ	لابِسُ	لامِسُ

عَمِلَ سليمُ مَعَ لَبيبُ

لَبِسَ سَالم

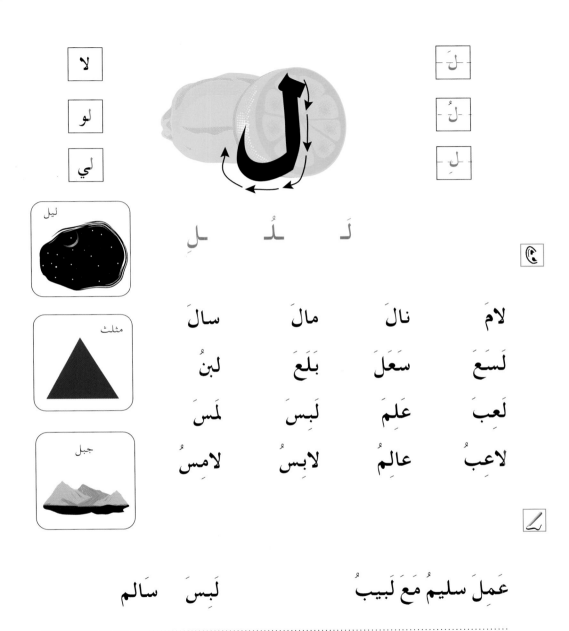

....

....

و

sound ‘w’

‘w’ for wheel

wheel

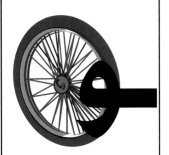

وَ (wa)

وُ (wu)

وِ (we)

وا (waa)

وو (woo)

وي (wee)

وَلَـد (walad) boy

وَرْد (ward) roses

وَزيـر (wazeer) minister

وَ	وا
وُ	وو
وِ	وي

وَ ـوُ ـوِ

ولد

بومُ بورُ دورُ نورُ

وادي والي واعي واشي

صابون

وَلَدَ وَرَدَ وَعَدَ وَسَمَ

مَوْلِد مَوْرِدُ مَوْعِدُ مَوْسِم

دلو

وَلَدَ وَرَدَ مَوْعِدُ مَوْسم وِدادُ

....

....

* ملاحظة : حرف «و» لا يتصل بما بعده .

		ي
yellow	‘y’ for yellow	sound ‘y’

يَ (ya) ____________

يُ (yu) ____________

يِ (ye) ____________

يـا (yaa) ____________

يـو (yoo) ____________

يـي (yee) ____________

يمين (yameen) right ____________

رنين (raneen) ringing ____________

يـونس (younis) (proper noun) ____________

يَ

يُ

يِ

يا

يو

يي

يَـ ـيُـ يِ

يمين

عَيْبُ لَيْلُ دَيْنُ عَيْنُ

عُيوبُ لَيالي دُيونُ عُيونُ

برميل

رَنينُ شَديدُ وَعيدُ بَدينُ

يَدْرسُ يَلْمَعُ يَسْمَعُ يَلْمِسُ

شاي

شايُ يَسْمَعُ يَمينُ بيوتُ ديونُ

....

....

مراجعة الحركات الطويلة والسكون :

لامَ	بانَ	سالَ
نالَ	مالَ	دامَ
بورُ	نورُ	دورُ
وُرودُ	دُروبُ	عُيوبُ
دينُ	عيدُ	عيرُ
ريمُ	ميلُ	نيلُ
عَيْنُ	زَيْتُ	زَيْنُ
بَيْتُ	عَيْبُ	لَيْلُ

استمع واقرأ

م	ل	و	ي
عَزَمَ	مالَ	وَرَدَ	مَرْيَمُ
رَسَمَ	نالَ	وَعَدَ	عَيْبُ
دَمْعُ	بَلَعَ	وُرودُ	لَيْلُ
شَمْعُ	لَعِبَ	وُعودُ	دَيْنُ
نِمْرُ	سَليمُ	وادي	عُيونُ
مازنُ	سالمُ	والي	ديونُ
باسمُ	عالمُ	مَوْلِدُ	ياسرُ
شُموعُ	لابِسُ	مَوْرِدُ	زيادُ
دُموعُ	لاعِبُ	مَوْسِمُ	مُنيرُ

اكتب الكلمات في مكانها المناسب لأصوات الحروف :

رامي سَليمُ مَنْبع يَمْنع مارد نمور مُرادُ

مُـ	ما	ـمو	ـمْـ	مَـ	مي	ـمُ

يلْمع لامِعُ لِباسُ لُعب لونا لَعِبَ ليالي

لَـ	لا	لِـ	لو	لي	ـلِـ	لُـ

واسع وِداد وَليد يَوْم راوي وُرود داوود

وَ	وا	وو	وي	وُ	وِ	وْ

بَيْتُ داني شايُ ياسرُ عَرَيْس يَدْرسُ يولَدُ

يَـ	يو	يُ	يا	ـيْـ	ـي	يْـ

اكتب الحرف المشترك داخل المربع :

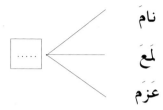

نامَ
لَمَعَ
عَزَمَ
.....

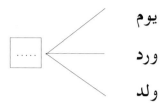

يوم
ورد
ولد
.....

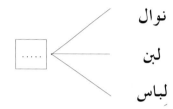

نوال
لبن
لِباس
.....

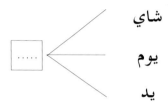

شاي
يوم
يد
.....

إملاء :

١- .... ٢- .... ٣- ....

٤- .... ٥- .... ٦- ....

٧- .... ٨- .... ٩- ....

١٠- ....

....
١٠

تدريب كتابي

حَلل الكلمات إلى مقاطع صوتية كما في المثال :

سَامِرُ	سا مِـ ـرُ	عَيْنُ	....
		بَيْتُ	....
باسِمُ	....	مُنير	....
رُموزُ	....	يَلْمَعُ	....
شامِلُ	....	يَسْمَعُ	....
دَلالُ	....		

....
١٠

صل الحروف وركِّب منها كلمات كما في المثال ثُمَ حركها :

م + ر + و + ا + ن = مَرْوانُ

١- م + ب + د + ع = ...

٢- ب + د + و + ر = ...

٣- م + و + س + م = ...

٤- و + ز + ي + ر = ...

٥- ي + ا + س + ر = ...

٦- د + ا + و + و + د = ...

٧- س + م + ي +ع = ...

٨- و + س + ا + م = ...

٩- ب + د + ي + ن = ...

١٠- ي + م + ا + ن + ي = ...

....
١٠

أ ت ج ح

أسد

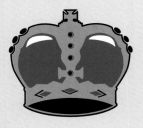

تاج

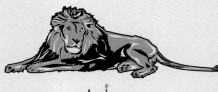

جمل

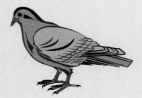

حمامة

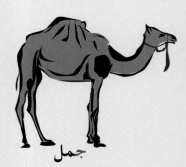

الوحدة الرابعة

arrow

‘a’ for arrow

أ

sound ‘a’

(aa) ______ آ

(oo) ______ أو

(ee) ______ إي

(a) ______ أَ

(u) ______ أُ

(e) ______ إِ

(oum) mother ______ أُم

(abb) father ______ أَب

(bada’a) started ______ بَـدَأَ

(sa’ala) asked ______ سَـأَلَ

أَ	«أ ا» آ
أُ	أو
إِ	إي

إبرة

أَ أُ إِ

باخرة

سماء

أَيْنَ أَنَ إِنْ أَنا

أَمَرَ أنارَ بَدَأَ سَأَلَ

داءُ سَمَاءُ بِناءُ رِداءُ

أُمّ أَبّ أَمَلُ أَسَدُ

أَمَرَ سُئِلَ دَأَبَ مَلأَ أَمَلُ

....

....

* ملاحظة : حرف «و» لا يتصل بما بعده.

		تـ
tent	‘t’ for tent	sound ‘t’

تَ (ta)

تُ (tu)

تِ (te)

تـا (taa)

تو (too)

تي (tee)

تــوت (toot) raspberry

بَيْت (bayt) house

تِبْن (tibin) dry hay

تَ		تا
تُ		تو
تِ		تي

تَـ ـتُـ ـتِ ة ـة

تابَ مَاتَ بَاتَ بَتَرَ

تَتْعَبُ تَمْنَعُ تَتْبَعُ دَرَسْتْ

زَيْتُ بَيْتُ بِنْتُ تَمْرُ

رُعاةُ سُعاةُ رُماةُ بُناةُ

مَدْرَسَة مَاتَ سَتَر تُرابُ زَيْتُونُ

....

....

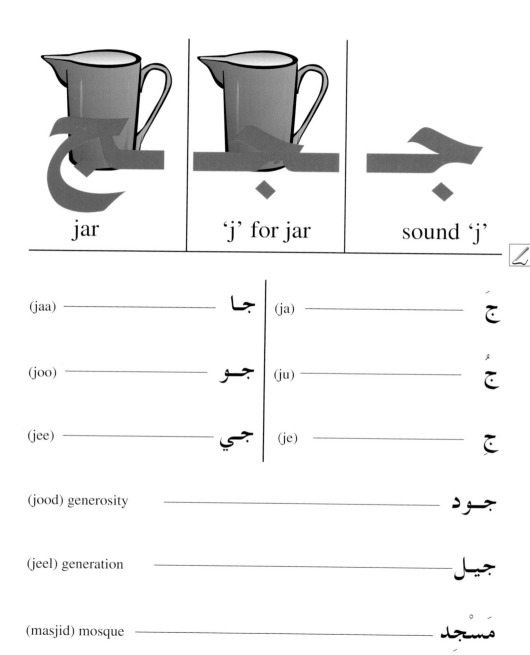

| jar | 'j' for jar | sound 'j' |

(jaa) ————— جـا	(ja) ————— جَ
(joo) ————— جـو	(ju) ————— جُ
(jee) ————— جـي	(je) ————— جِ

(jood) generosity ————— جـود

(jeel) generation ————— جيـل

(masjid) mosque ————— مَسْجِد

جَ

جُ

جِ

جا

جو

جي

جَـ ـجُـ ـجِ

جرس

جاءَ جارَ جادَ جابَ

جَلَبَ جَلَسَ دَرَجَ عَرَجَ

دجاجة

عَجَنَ نَسَخَ جَمُلَ جَمَدَ

عَجينُ نَسيجُ جَميلُ جَمادُ

تاج

دَرَجَ دَمَجَ جَليدُ رِجالُ ماجِدُ

....

....

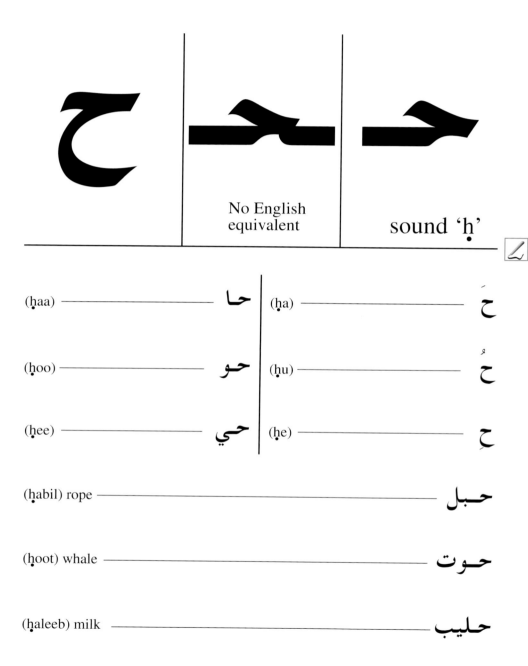

ح   ـحـ   ح

No English equivalent   sound 'ḥ'

(ḥaa) ———————— حـا | (ḥa) ———————— حَ

(ḥoo) ———————— حـو | (ḥu) ———————— حُ

(ḥee) ———————— حـي | (ḥe) ———————— حِ

(ḥabil) rope ———————————————— حـبل

(ḥoot) whale ———————————————— حـوت

(ḥaleeb) milk ———————————————— حليب

حَ

حُ

حِ

حا

حو

حي

حَـ ـحُـ ـحِ

حبل

نحلة

رمح

ناحَ حانَ حازَ باحَ

رَحَلَ حَمَدَ جَرَحَ حَرَسَ

راحِلُ حامِدُ جارِحُ حارِسُ

روحُ بَحْرُ حَبْلُ رُمْحُ

حليبُ حَريرُ بَلَحُ حَبْلُ أَحزانُ

تدريب كتابي

حَلِّل الكلمات إلى مقاطع صوتية كما في المثال :

	مَسْجِد
مَسْ	
جِ	
دُ	

.... ← ماجِدُ

.... ← نَباتُ

.... ← حِمارُ

.... ← شِتاءُ

.... ← حُبوبُ

.... ← حازِمُ

.... ← وَراءَ

.... ← زُجاجُ

.... ← أسيرُ

صل الحروف وركِّب منها كلمات كما في المثال ثم حَرِّكها :

أ + ي + ن = أَيْـنَ

١- ح + ا + ر+ س = ...

٢- أ + ر + و + ا + ح = ...

٣- أ + ش + ج + ا + ر = ...

٤- م + س + ا + ج + د = ...

٥- ح + ي + و + ا + ن = ...

٦- د + ج + ا + ج = ...

٧- ت + د + ر +ي + س = ...

٨- ح + ش + ر + ا + ت = ...

٩- ت + م + س + ا + ح = ...

١٠- ب + س + ت + ا + ن = ...

....
١٠

التمييز بين الحركات القصيرة والطويلة والسكون :

١-	رَحَلَ	راحِل	حَمَلَ	حامل
	حَرَسَ	حارِس	مَدَحَ	مادِح
٢-	جَرَحَ	جُروح	دَرَسَ	دُروس
	أَسَد	أُسود	أَمَرَ	أُمور
٣-	حَزِنَ	حَزين	وَلَد	وَليد
	رَحِمَ	رَحيم	عَجَنَ	عَجين
٤-	نزلَتْ	تَنْزِلُ	دَرَسَتْ	تَدْرُسُ
	مَنَعَتْ	تَمْنَعُ	سَألْتْ	تَسْأَلُ

تدريب قرائي :

أ	ت	ج	ح
أَنا	بِنْتُ	جَلَبَ	رَحَلَ
أَسَدُ	تَمْرُ	جَلَسَ	حَمَدَ
أَمَلُ	زَيْتُ	دَرَجَ	جَرَحَ
رِداءُ	رُعاةُ	عَجَنَ	جارِحُ
سَأَلَ	زَيْتونُ	بُروجُ	بَحْرُ
سَماءُ	دَرَسَتْ	سُجونُ	رُمْحُ
مَلأَ	تَمْنَعُ	رِجالُ	حَبْلُ
دَأَبَ	تِلالُ	ماجِدُ	أَرْواحُ
أعودُ	تُرابُ	أَزْواجُ	رِماحُ

اكتب الكلمات في مكانها المناسب لأصوات الحروف :

آدم إِنشادُ إِيمانُ أَب ماء رَؤوم أَمَرَ

أَ	أ	إِ	إِيـ	ؤو	ء	آ

رجالُ وُجودُ جَميلُ بُرْجُ عِجْلُ ناجي جِبال

جَـ	جا	جُ	جو	جِـ	جي	ـجْـ

سباتُ تابَ زيتونُ سَتَرَ نَزَلَتْ تِلال تينُ

تِـ	تـا	تُ	ـتو	ـتَـ	ـتْ	تيـ

حوتُ روحي سُحُبُ روحُ حَمَدُ حامِدُ رِماحْ

حَـ	حا	حُ	حو	ـحُـ	حي	حْ

اكتب الحرف المشترك داخل المربع :

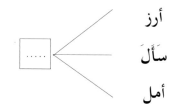

أرز
سأَلَ
أمل

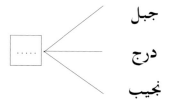

جبل
درج
نجيب

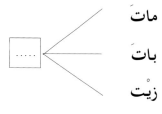

ماتَ
باتَ
زيْت

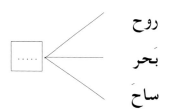

روح
بَحر
ساحَ

إملاء :

١- ....   ٢- ....   ٣- ....

٤- ....   ٥- ....   ٦- ....

٧- ....   ٨- ....   ٩- ....

١٠- ....

....
١٠

تدريب قرائي وكتابي

اقرأ واكتب :

أَنْ	عنْ	قَرَأَ	قَرَعَ
شاءَ	شاعَ	سَماءُ	سَماعُ
وَأَدَ	وَعَدَ	سَأَلَ	سَعَلَ
إِمْلاقُ	عِمْلاقُ	أَمَلُ	عَمَلُ

اقرأ الجمل ثم اكتبها :

حَرَسَ حُسام بَيْتَ عُمَر

لَبِسَتْ سُعادُ حَرَير

دَرَسَ أَسْعَدُ

دارُ أَمَـل بَـعـيد

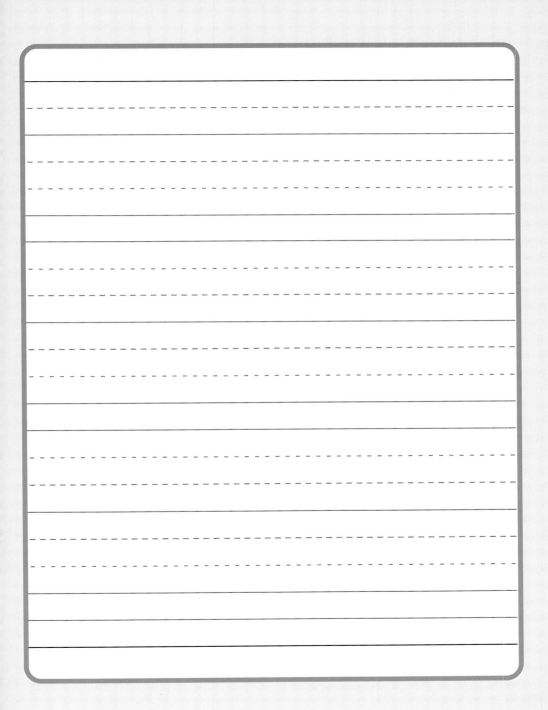

ف ق ذ خ

فراشة

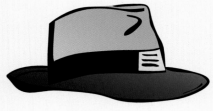

قبعة

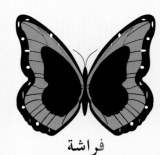

ذئب

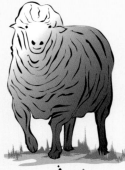

خروف

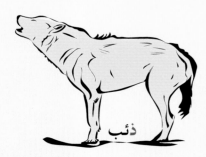

الوحدة الخامسة

فـ		
sound ‘f’	‘f’ for face	face

فَ ——— (fa)

فُ ——— (fu)

فِ ——— (fe)

فا ——— (faa)

فو ——— (foo)

في ——— (fee)

رُفـوف ——— (rofoof) shelves

فـي ——— (fee) in

فـم ——— (famm) mouth

فيـل ——— (feel) elephant

فَ		فا
فُ		فو
فِ		في

فَ ـفُ ـفِ

فيل

فاتَ فازَ فارَ فاحَ

فَلَحَ فَتَحَ لَفَحَ نَفَعَ

فلفل

حَرْفٌ سَيْفٌ وَفْدٌ فَتْحٌ

حُروفٌ سُيوفٌ وُفودٌ فُتوحٌ

ظرف

سَيْفُ فَرَجُ نافِعُ وافِدُ سَفْحُ

....

....

  ق

| cage | No English equivalent | sound 'q' |

(qaa) ———————— قـا	(qa) ———————— قَ
(qoo) ———————— قـو	(qu) ———————— قُ
(qee) ———————— قـي	(qe) ———————— قِ

(qualb)   heart ———————————————— قَلْب

(qaala)   said ———————————————— قَالَ

(qalam)   pencil ———————————————— قَلَمْ

(qaleel) little ———————————————— قَليلُ

قَ	قا
قُ	قو
قِ	قي

قَـ ـقُـ ـقِ

قاسَ ساقَ قادَ قَعَدَ

وَقَفَ وَقَعَ قَفَزَ قَرَأَ

سوقٌ قوتٌ قَلَمٌ قِرْدٌ

قارِبٌ قُلوبٌ بَرْقٌ قَمْحٌ

قاسَ سَبَقَ قليلٌ قديمٌ

....

....

ذ	ذ	ـذ
	No English equivalent	‘th’ sound in ‘that’

ذَ ______ (tha)

ذُ ______ (thu)

ذِ ______ (the)

ذا ______ (thaa)

ذو ______ (thoo)

ذي ______ (thee)

ذيل ______ tail (thayl)

ذُرَة ______ corn (thorah)

ذاق ______ tasted (thaaka)

بُذور ______ seeds (buthoor)

ذَ		ذا
ذُ		ذو
ذِ		ذي

ذَ ـذُ ـذِ

ذيل

أذن

فخذ

ذاعَ ذابَ ذَبَحَ أَخَذَ

ذِئْبٌ ذَيْلٌ حِذاءٌ أُذُنٌ

لذيذٌ ذُرَةٌ مُذيعٌ ذُبابٌ

جُذورٌ جُذوعٌ مِذْياعٌ ذِراعٌ

ذاقَ أَخَذَ بَذَرَ حِذاءٌ مُـذيعٌ

....

....

* ملاحظة : حرف «ذ» لا يتصل بما بعده.

خ	ـخـ	خـ
	No English equivalent	sound 'kh'

(kha) ______ خَ

(khaa) ______ خـا

(khu) ______ خُ

(khoo) ______ خـو

(khe) ______ خِ

(khee) ______ خـي

(khaal) uncle ______ خـال

(akhbaar) news ______ أخْبارُ

(khobz) bread ______ خُـبْزُ

خَ

خُ

خِ

خا

خو

خي

خَـ ـخُـ ـخِ

خس

نخلة

خوخ

خالَ خافَ شاخَ داخَ

سَلَخَ نَسَخَ خَلَعَ خَلَقَ

خَوْفٌ خَلفٌ نَخْلٌ خُبْزٌ

خَوْخٍ نَخيلٍ خُبْزٍ خَلْقٍ

خالي أخي أخت دُخانُ

اكتب الكلمات في مكانها المناسب لأصوات الحروف :

وُفود	وافي	فارس	وافِر	نَسَفَ	خافَ	سفير
فَ	فِـ	فا	في	ـفيـ	فو	ـفَ

سَلَقَ	قادَ	فَوقَ	أَقْدَاح	وُقود	قَلْب	فَقير
قَ	قا	قو	ـقيـ	قْـ	ـقَ	قَـ

ذاعَ	ذِراع	ذُبابُ	بُذور	مِذْياع	ذَيْل	ذَنَب
ذَ	ـذْ	ذيـ	ذو	ذا	ذُ	ذِ

خَروف	داخَ	أَخي	نَخيل	سَلَخَ	خانَ	خَوْخ
خَ	خَـ	خو	خا	خي	ـخيـ	ـخَ

اكتب الحرف المشترك داخل المربع :

عَرَفَ
فَتَحَ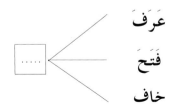
خاف

سِباقُ
رِفاقُ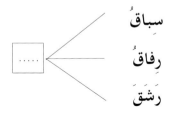
رَشَقَ

حِذاء
ذئب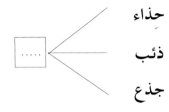
جذع

نَخْلُ
بخيل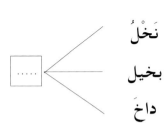
داخَ

 إملاء :

١– ....   ٢– ....   ٣– ....

٤– ....   ٥– ....   ٦– ....

٧– ....   ٨– ....   ٩– ....

١٠– ....

....
١٠

مراجعة عامة

ف	ق	ذ	خـ
فاتَ	قادَ	ذاعَ	خافَ
فازَ	قاسَ	ذابَ	خالَ
فَلَحَ	قَفَزَ	أَخَذَ	خَوْفُ
فَتَحَ	وَقَعَ	ذَيْلُ	نَخْلاً
سَيْفُ	وَقَفَ	حِذاءُ	خِرافاً
وُفودُ	قَلَمُ	ذُبابُ	خِياراً
فيلُ	سِباقُ	ذراعُ	خَوْخٍ
فولُ	قاسِمُ	ذُرَةُ	خَلْق
خَروفُ	سَقيم	لَذيذُ	خُبْزٍ

تدريب كتابي

حَلل الكلمات إلى مقاطع صوتية كما في المثال :

فَتَح ← فَـ / ـتَـ / ـحَ

خال ← .... / ....

سُيوفُ ← .... / .... / ....

خَوْفُ ← .... / ....

ذُبابُ ← .... / .... / ....

خَوْخُ ← .... / ....

ذِراعُ ← .... / .... / ....

خَلَقَ ← .... / .... / ....

خِرافُ ← .... / .... / ....

قاسِمُ ← .... / .... / ....

صِل الحروف وركِّب منها كلمات كما في المثال ثم حَرِّكها :

ش + ر + ي + ف   =   شَريفُ

١- ر + ف + ي + ق   = ...

٢- م + س + ا + ف + ر   = ...

٣- س + ف + و + ح   = ...

٤- ق + ل + و + ب   = ...

٥- ف + ا + ر + و + ق   = ...

٦- د + ا + خ + ل   = ...

٧- خ + ر + ا + ف   = ...

٨- ذ + ل + ي + ل   = ...

٩- ع + ف + ا + ف   = ...

١٠- خ + ف + ي + ف   = ...

....
١٠

أنواع التَّنوين

ً	ٌ	
		ٍ

تنوين الضم : خالِدٌ تلْميذٌ جَميلٌ

دُنْ = دٌ ذُنْ = ذٌ لُنْ = لٌ

سامي معلمٌ نشيطٌ

مُنْ = مٌ طُنْ = طٌ

تنوين الفتح : قطفَتْ علياء ورداً وتفاحاً

دَنْ = داً حَنْ = حاً

أَكَلْتُ طعاماً لذيذاً

مَنْ = ماً ذَنْ = ذاً

تنوين الكسر : مشت ريما في شارعٍ مُظْلِمٍ

عِنْ = عٍ مِنْ = مٍ

نامَ أَنْوَرُ في سريرٍ جديدٍ

رِنْ = رٍ دِنْ = دٍ

ك ص ث ض

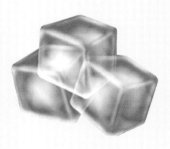

كلب

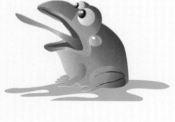

صنارة

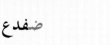

ثلج

ضفدع

الوحدة السادسة

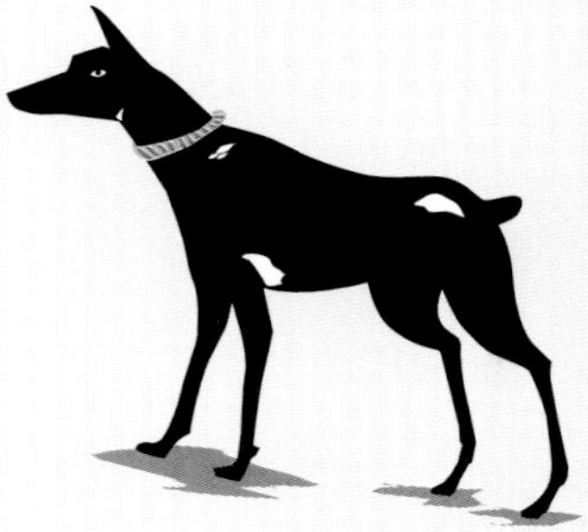

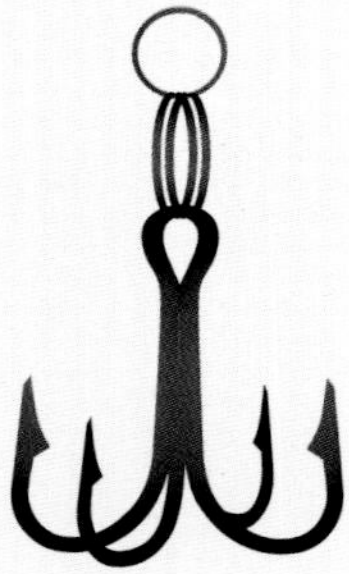

كـ

sound ‘k’

ـكـ

‘k’ for kite

ـك

kite

كَ (ka) ______

كُ (ku) ______

كِ (ke) ______

كـا (kaa) ______

كو (koo) ______

كي (kee) ______

كـوب (koob) cup ______

كِتـاب (ketaab) book ______

كـيس (kees) bag ______

كا

كو

كي

كَ

كُ

كِ

كَ ـكُ ـكِ

حاكَ كانَ بَرَكَ سَكَبَ

كَسَفَ أَمْسَكَ مَلَكَ رَكِبَ

كاتِبٌ كَميلٌ سَمَكٌ مَلِكٌ

ديكٍ كَلْبٍ كِتابٍ كوخٍ

كَتَبَ كانَ تَرَكَ سَكَتَ ضَحِكَ

....

....

ـصـ	ـصـ	ص
	Stress and deeply pronounce the letter "s"	sound 'ss'

(ssaa)	صـا	(ssa)	صَ
(ssoo)	صو	(ssu)	صُ
(ssee)	صـي	(sse)	صِ

حِصانْ (hissan) horse

قَمِيصْ (kamiss) shirt

صامَ (ssama) fasted

صَ		صا
صُ		صو
صِ		صي

صـَ ـصُـ ـصِ

صحن

غصن

صوص

صاحَ صانَ صَبَرَ نَصَرَ

صَرَخَ رَقَصَ صَعَدَ حَصَدَ

صَلاح صافي مَنْصور صالح

صوصٌ عُصْفُورٌ صَدْرٌ قَفَصٌ

صافي صَلاحُ حَصَدَ صَرَخَ صابِرُ

....

....

ض	ضـ	ـضـ
	glottal sound in doll	Sound 'dh'

(dha)	ضَـ
(dhe)	ضِـ
(dhu)	ضُـ

(dhaa)	ضـا
(dhee)	ضي
(dhoo)	ضـو

(dhaar)   harmful ————————————————— ضـار

(dhareer)   blind ————————————————— ضَرير

(khudhar) vegetables ————————————————— خُضار

ضَ	ضا
ضُ	ضو
ضِ	ضي

ضَـ ـضُـ ـضِ

باضَ ضاقَ ضَرَبَ فَرَضَ

خاضَ وَضَعَ ضَحِكَ رَفَضَ

ضَبابٌ ضارٌّ فَرْضٌ حُضَرٌ

ضِفْدَعٍ رِياضٍ ناضِجٍ بَيْضَةٍ

ضرس

بيضة

بيض

ضَرَبَ ضَحِكَ ناضِجٍ أرضاً ضَبابٌ

....

....

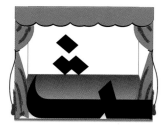

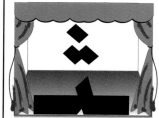

ثـ

'th' long sound on letters 'stress'

'th' for theater

theater

ثَـ (tha) ______

ثـِ (the) ______

ثُـ (thu) ______

ثـا (thaa) ______

ثي (thee) ______

ثـو (thoo) ______

ثَـوْر (thawr) bull ______

أثـاث (athaath) furniture ______

كَثـير (katheer) a lot ______

ثَ

ثُ

ثِ

ثا

ثو

ثي

ثَـ ـثُـ ـثِ

ثعلب

ثلاثة

3

مثلث

ثابَ وَثَبَ حرَثَ ورِثَ

ثَوْبُ ثَوْرُ ثَلْجُ لَيْثُ

ثومٌ ثَلاثَةٌ ثِيابٌ أثاثٌ

ثانياً لَيْثاً كثيراً وارثاً

وَرِثَ ثَرْثَرَ خَبيثُ ثَميناً ثُعبانٌ

....

....

اكتب الكلمات في مكانها المناسب لأصوات الحروف :

كُتُب مَكْتَب تَرَكَ كادِح ركوب يبكي كِتاب

كَ	كُـ	ـكْـ	كِـ	كا	كو	ـكي

صورة صادِق غاصَ نَصير نَصْرُ نَصَحَ صُعودُ

صَ	صُـ	ـصْـ	ـصَـ	صا	صو	صيـ

حَضَنَ ضاقَ رَضِيَ باضَ راضي نُضوج رَبَضَ

ضَ	ضِـ	ـضَـ	ـضَ	ضا	ـضو	ضي

خَبيثُ كَثيرُ ثاقِبُ وارِثُ وُثوبُ كَوْثَرُ نَثَرَ

ثَـ	ثُ	ـثَـ	ـثُ	ثا	ثو	ثيـ

✎ اكتب الحرف المشترك داخل المربع :

كتاب
سكب   [....] ◄
ملك

رَكَضَ
أَبْيَض   [....] ◄
باض

صورة
صادق   [....] ◄
غاصَ

ثعلب
وثب   [....] ◄
حرث

إملاء :

١- .... ٢- .... ٣- ....

٤- .... ٥- .... ٦- ....

٧- .... ٨- .... ٩- ....

١٠- ....

....
١٠

تدريب قرائي

ض	ث	ص	ك
باضَ	ثابَ	صَيَرَ	كَتَبَ
ضَاقَ	حَرَثَ	صاحَ	سَكَبَ
ضَرَبَ	وَثَبَ	صارَ	بَرَكَ
وَضَعَ	وَرِثَ	نَصَرَ	حاكَ
ضِرْساً	ثِيابٌ	حَصَدَ	مَلِكٌ
أَرْضاً	ثوراً	صَالِحٌ	سَمَكٌ
ضبابٌ	ثلاثةً	قَفَصٌ	شَبَكَة
خُضرٌ	ثَرْثاراً	صوصٌ	كَرِيماً
ناضجٍ	وارثٍ	صَباحاً	كتابٍ
ضِفْدَعٍ	ثومٌ	حِصاناً	كوخٍ

تدريب كتابي

حَلل الكلمات إلى مقاطع صوتية كما في المثال :

حاكَ: حا / كَ

كوخَ: .... / ....

كِتابُ: .... / .... / ....

صورَةُ: .... / .... / ....

ثَلاثَةُ: .... / .... / .... / ....

قَفَصُ: .... / .... / ....

سَمَكُ: .... / .... / ....

حَرَثَ: .... / .... / ....

ناضِجُ: .... / .... / ....

وارِثٌ: .... / .... / ....

تدريب قرائي وكتابي

استمع وانتبه إلى الأصوات المتقاربة :

ثمَّ ضع خطاً تحت صوت س ودائرة حول صوت ص

سامَ	صامَ	سوس	صوص
سورَة	صورَة	صادَ	سادَ
صارَ	سارَ	سالَ	صالَ
قَصَّرَ	كَسَّرَ	سَرير	صَرير
قَسَّ	قَصَّ	صَفْحُ	سَفْحُ

استمع وانتبه إلى الأصوات المتقاربة :

ثمَّ ضع خطاً تحت صوت ك ودائرة حول صوت ق

قالَ	كالَ	حالِك	خالِق
قُلْ	كُلْ	شكَّ	شَقَّ
كَلْب	قَلْب	رَكَضَ	رَقَدَ
دقَّ	دكَّ	سَلَكَ	سَلَقَ
نَكَشَ	نَقَشَ	ركيك	رقيق
كاتِم	قاتِم	قانون	كانون

استمع وانتبه إلى الأصوات المتقاربة :

ضع خطاً تحت صوت د ودائرة حول صوت ض

بادَ	باضَ	دِرْعُ	ضِرْعُ
رَدَّ	رَضَّ	وَضيع	وَديع
دَرْبُ	ضَرْبُ	بَعْدُ	بَعْضُ
عضَّ	عدَّ	رَكَدَ	رَكَضَ
رَضَعَ	رَدَعَ	ضَرَرٌ	دُرَرٌ

أكمل بتنوين الفتح ً في آخر الكلمة كما في المثال :

ثياباً	توتـ	ثَلاثـ
دجاجـ	صَحيحـ	خوخـ
لذيذ	بابـ	زَيتـ
جَرَسـ	ريشـ	صوصـ

أكمل بتنوين الضم (ٌ) في آخر الكلمة كما في المثال :

وَرْدَةٌ	دَفْتَر	باب
مَدْرَسَة	لذيذ	إِجاصَة
وَلَد	صَغير	شَراب

أكمل بتنوين الكسر (ٍ) في آخر الكلمة كما في المثال :

قَلَمٍ	رَبيع	كِتاب	دَفْتَر
وَرَقَة	كُرْسي	بَيْت	مَلْعَب
كوب	وِعاء	ثِياب	بُسْتان

غ هـ ط ظ

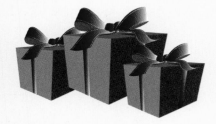

غزال

هدايا

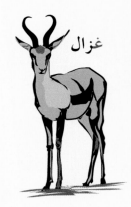

طبل

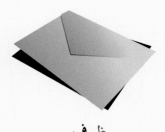

ظرف

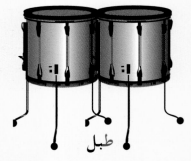

الوحدة السابعة

ـغـ	غـ	غ
	equivalent to the French “r”	sound ‘gh’

غَـ	(gha) ______	غا	(ghaa) ______
غُـ	(ghu) ______	غو	(ghoo) ______
غِـ	(ghe) ______	غي	(ghee) ______

غُراب (ghuraab) crow ______

غَرْب (gharb) west ______

صغير (sagheer) small ______

غـول (ghoul) ogre ______

غا
غو
غي

غَ
غُ
غِ

غَـ ـغُـ ـغِ

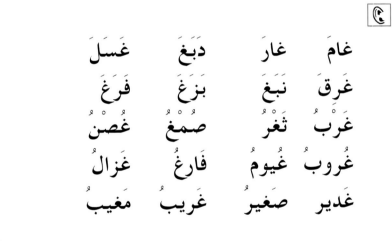

غراب

مغيب

تبغ

غامَ غارَ دبَغَ غسَلَ

غَرِقَ نبَغَ بزَغَ فَرَغَ

غَرْبُ ثَغْرُ صَمْغُ غُصْنُ

غُروبُ غُيومُ فَارِغُ غزالُ

غَدير صَغيرُ غَريبُ مَغيبُ

غام دبَغَ غسَلَ ثَغْرُ فارِغُ

....

....

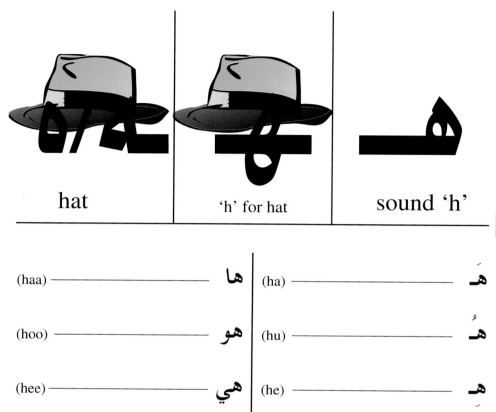

| hat | 'h' for hat | sound 'h' |

هـــ

(haa) ——————— ها	(ha) ——————— هَـ
(hoo) ——————— هو	(hu) ——————— هُـ
(hee) ——————— هي	(he) ——————— هِـ

(haatef) telephone ——————— هـاتف

(hawaa') air ——————— هَـواء

(haraba) ran away ——————— هَـرَبَ

(hollanda) Holland ——————— هولندا

هَـ
هُـ
هِـ

ها
هو
هي

هَـ ـهُـ ـه ه

ذَهَبَ هَزَمَ هَرَبَ فَهِمَ
هَجَمَ تاهَ شابَهَ سَهِرَ
مَهْدُ عَهْدُ سَهْمُ جُهْدُ
شِفاهُ وَجْهُ قَهْقَهَ أَنْهارُ
سِهامُ سُهادُ ماهِرُ ساهِرُ

ذَهَبَ هَدَمَ سَهِرَ فَهِمَ هَجَمَ

....

....

ـط	ـطـ	طـ
	stress on and deeply pronounce the 'tt'	sound 'tt'

طَـ (tta) ________

طا (ttaa) ________

طُـ (ttu) ________

طو (ttoo) ________

طِـ (tte) ________

طي (ttee) ________

طَـرَدَ (ttarada) fired ________

طَبيبْ (ttabeeb) doctor ________

طَـريقْ (ttareeq) road ________

مَـطَر (mattar) rain ________

طَ	طا
طُ	طو
طِ	طي

طَ طِ طُ

طريق

طابَ خاطَ رَبَطَ طَرَحَ

عَطَشَ ضَبَطَ طَبَخَ خَلَطَ

مَطَرٌ قِطارٌ مَطارٌ خَيْطٌ

طابِعاً طِيناً سَطْلاً سَطْحاً

طَرِيقٍ طاوِلَةٍ شَرِيطٍ خُطُوطٍ

سطل

مشط

طارَ طابَ خَلَطَ مَطَراً شَرِيطٍ

ـظ	ـظـ	ظـ
	No English equivalent	sound 'th'

ظَـ ________ (tha)

ظا ________ (thaa)

ظُـ ________ (thu)

ظو ________ (thoo)

ظِـ ________ (the)

ظي ________ (thee)

ظَـرْفْ ________ (tharf) envelope

منظر ________ (manthar) view

ظِـلْ ________ (thill) shadow

نَظيف ________ (natheef) clean

ظَ ظُ ظِ

ظا ظو ظي

ظَ ظُ ظِ

ظبي

منظر

لفظ

حَفظَ لَفَظَ نَظَرَ غاظَ

ظافرُ حافظُ ناظمُ نَظيرُ

يَحْفَظُ يَعِظُ يَنْظُرُ يَظْفَرُ

ظلامٌ مَنَظَرٌ ظاهرٌ ظَبيٌ

ظريفٍ ناظِرٍ ظالمٍ مَظْلوماً

حَفِظَ نَظَرَ وَعَظَ ناظِرُ ظالِمُ

اكتب الكلمات في مكانها المناسب لأصوات الحروف :

غُراب مَغْرِب غايَة غول باغي نَبَغَ فَرَغَ

غَ	غُـ	ـغْـ	غا	غو	غي	ـغَ

هادي شاه هَزَمَ فَهْد هود ناهي وجيه

هـ	ـهـ	ـه	ه	ها	هو	هي

طارِق مَطَر خُطوط خَيْطْ بَسَطَ خاطَ عاطي

ـطَـ	ـطَـ	طَـ	طا	طو	طي	ـطْـ

ظالم مَظْلوم حافظَ ظُروف ظَرْف مَنْظور نَظيف

ظَ	ـظْـ	ـظَ	ظا	ـظو	ـظيـ	ظُـ

اكتب الحرف المشترك داخل المربع :

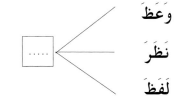

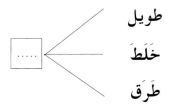

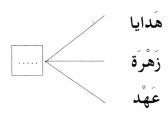

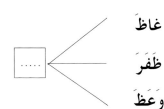

وَعَظَ، نَظَرَ، لَفَظَ	.....	طويل، خَلَطَ، طَرَق	.....
هَدايا، زَهْرَة، عَهْد	.....	غاظَ، ظَفَرَ، وَعَظ	.....

إملاء :

١– .... ٢– .... ٣– ....

٤– .... ٥– .... ٦– ....

٧– .... ٨– .... ٩– ....

١٠– ....

....
١٠

مراجعة عامة

غ	هـ	ط	ظـ
غامَ	هَرَبَ	طابَ	غاظَ
غارَ	ذَهَبَ	رَبَطَ	لَفَظَ
غَسَلَ	تاهَ	طَرَحَ	حَفِظَ
غَمَرَ	شابَهَ	خَلَطَ	ظافِرُ
غَرْبُ	فَهِمَ	مَطَرُ	ظَلامٌ
ثَغْرُ	سَهِرَ	قِطارُ	ظَريفٍ
غُصْنُ	قَهَرَ	سَطْلاً	مَظْلوماً
غَديرُ	عَهْدُ	طَريقٍ	حافِظُ
صَغيرُ	سَهْمُ	خُطوطٍ	نَظيرُ
غَزالُ	سِهام	خَيْطٌ	يَنْظُرُ

تدريب كتابي

صل الحروف وركِّب منها كلمات كما في المثال ثم حرِّكها :

ي + ح + ف + ظ   =   يَحْفَظُ

١- غ- ر + ي + ب   = ...

٢- م + غ + ي + ب   = ...

٣- ي + ح + ف + ظ   = ...

٤- ن + ا + ظ + ر   = ...

٥- خ + ي + و + ط   = ...

٦- ط + ا + و + ل + ة   = ...

٧- ش + ر + ي + ط   = ...

٨- أ + ن + هـ + ا + ر   = ...

٩- س + هـ + ا + م   = ...

١٠- م + ن + ظ + ر   = ...

....
١٠

تدريب قرائي

١- استمع وأعد وانتبه إلى صوت (الهاء)
(هـ - ـهـ - ـه - ه) وطريقة كتابته :

هـ	–	هُوَ	هِيَ	هِنْدُ	زَهْرُ	هُدْهُدْ
ـهـ	–	نَهْرُ	مُهْرُ	مَعَها	وَقْتَها	بـها
ـه	–	كِتابَهُ	أُمُّهُ	لَهُ	بِهِ	مَعَهُ
ه	–	هَذِهِ	عِنْدَهُ	وَلَدَهُ	زادَهُ	أَبْناءَهُ

٢- استمع وأعد وانتبه إلى صوت (خ - غ) :
ثُمَّ ضع خطاً تحت صوت خ ودائرة حول صوت غ

خابَ	غابَ	خَرَبَ	غَرَبَ
غَلَبَ	خَلَبَ	غَيْمَةُ	خَيْمَةُ
غارِق	خارِق	غُرابُ	خَرابُ
خَلا	غَلا	خَيْمات	غَيْمات

تدريب قرائي كتابي

٣- استمع وأعد وانتبه إلى صوت (هـ - ح) .

ضع خطاً تحت صوت هـ ودائرة حول صوت ح

حانَ	هانَ	حَزَمَ	هَزَمَ
------	------	------	------
حَلَّ	هَلَّ	حالِك	هالِك
------	------	------	------
هارِبٌ	حارِبٌ	هادي	حادي
------	------	------	------
تاحَ	تاهَ	ساحِرة	ساهِرة
------	------	------	------
سَحَرَ	سَهَرَ	حَمَلَ	هَمَلَ
------	------	------	------
حتّى	حطّ	ساحِرة	ساهِرة
------	------	------	------

٤- استمع وأعد وانتبه إلى صوت (ت - ط) .

ضع خطاً تحت صوت <u>ت</u> ودائرة حول صوت (ط)

تابَ	طابَ	تينٌ	طينٌ
------	------	------	------
طَبَعَ	تَبَعَ	صَوْتٌ	سَوْطٌ
------	------	------	------
تلَّة	طلَّة	رُطَبٌ	رُتَبٌ
------	------	------	------
تَرَكَ	طَرَقَ	تارِكٌ	طارِقٌ
------	------	------	------
رَتْلٌ	رَطْلٌ	تامِرٌ	طامِرٌ
------	------	------	------

أل الشمسية			أل القمرية		

أل الشمسية

شمس + ال ← الشَّمس

اللام الشمسية تكتب ولا تُلفَظ

التِّلفازُ	تِلْفازٌ	ت
الثَّلجُ	ثَلْجٌ	ث
الدَّربُ	دَرْبٌ	د
الذَّيلُ	ذَيْلٌ	ذ
الرَّبيعُ	رَبيعٌ	ر
الزَّهرةُ	زَهرةٌ	ز

أل القمرية

قمر + أَلْ ← القمر

اللام القمرية تلفظ وتكتب

الأَرنَبُ	أَرنَبٌ	أ
الَبابُ	بابٌ	ب
الجَبَلُ	جَبَلٌ	ج
الحْوتُ	حوتٌ	ح
الخَوخُ	خَوخٌ	خ
العنبُ	عِنبٌ	ع

شمسية			قمرية		

	شمسية				قمرية
السَّمَكَةُ	سَمَكَةٌ	س	الْقفصُ	قَفصٌ	ق
الشَّايُ	شايٌ	ش	الْكتابُ	كِتابٌ	ك
الصّوصُ	صوصٌ	ص	المْدرسةُ	مَدْرسَةٌ	م
الضِّرسُ	ضِرْسٌ	ض	الْهواءُ	هواءٌ	هـ
الطَّبْلُ	طَبْلٌ	ط	الْوردةُ	وَرْدةٌ	و
الظَّهرُ	ظُهرٌ	ظ	الْيَدُ	يَدٌ	ي
اللَّوزُ	لَـوزٌ	ل	الْغابةُ	غَابةٌ	غ
النَّهرُ	نَهرٌ	ن	الْفيلُ	فَيْلٌ	ف

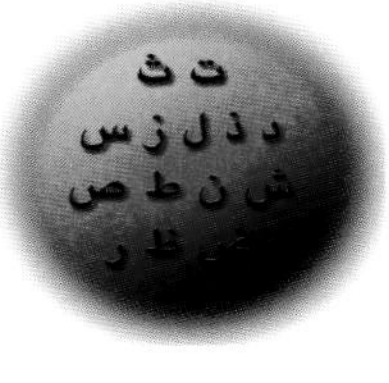

أدخل أل على الكلمة الثانية واتبع المثال :

بابُ	+	بَيْت (ال)	بابُ الْبيتِ
جمالُ		ورْدٌ	....
نَسيمُ		بحْرٌ	....
بابُ		مَسْجدٌ	....
مُدرِّسُ		رسْمٌ	....
سِحْرُ		ربيعٌ	....
زيْتُ		زيتونٌ	....

الشَّدَّة

عَدَّ	(عَدْدَ)
مَدَّ	(مَدْدَ)
شَدَّ	(شَدْدَ)
دَقَّ	(دَقْقَ)
شَمَّ	(شَمْمَ)
هَزَّ	(هَزْزَ)

أكمل كما في المثال ثم اقرأ :

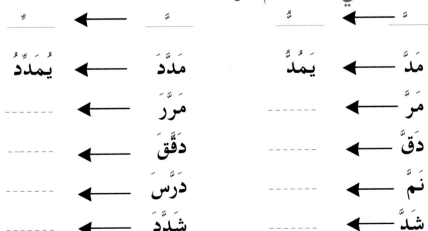

ـَّ	←	ـُّ		ـَّ	←	ـِّ
مَدَّ	←	يَمُدُّ		مَدَّدَ	←	يُمَدِّدُ
مَرَّ	←	------		مَرَّرَ	←	------
دَقَّ	←	------		دَقَّقَ	←	------
نَمَّ	←	------		دَرَّسَ	←	------
شَدَّ	←	------		شَدَّدَ	←	------

تدريب قرائي وكتابي

اقرأ الجمل التالية ثم اكتبها :

عَدَّ رامي التُّفَاحات..

مَدَّت الأُمُّ الغِطاءَ..

شدَّ الْوَلَدُ الْحَبْلَ..

دَقَّ الطّالبُ البابَ..

شمَّ عَلِيٌّ الْوَرْدَةَ..

هَزَّ الْوَلَدُ الْغصْنَ..

عَلَّقَ الولدُ الصّورَةَ..

نَظَّفَ زياد السَّيارة..

التنوين

(٢) أكمل كما في المثال ثم اقرأ :

الكلمة	تنوين فتح ً	تنوين ضم ٌ	تنوين كسر ٍ
رَجُلُ	رَجُلاً	رَجُلٌ	رَجُلٍ
كِتابُ	-----	-----	-----
قَليلُ	-----	-----	-----
وَقْتُ	-----	-----	-----
ضَريرُ	-----	-----	-----
سالِمُ	-----	-----	-----
قَميصُ	-----	-----	-----
رَبيعُ	-----	-----	-----

اقرأ الجمل وضع الكلمة المنونة في مكانها المناسب :

قَرأْتُ كتاباً

عنْدي دَفْترٌ وكِتَابٌ

حَضَرَ الطّالبُ حَفْلَةً

أُريْدُ عَصيراً

فؤادُ تلِميْذٌ مُهَذَّبٌ

كتَبْتُ بِقَلَمٍ جَميلٍ

شَرِبْتُ كَأْسَ عَصِيرٍ

ذَهَبَ فادي في رِحْلَةٍ

أكَلَ الولدُ توتاً

تنوين فتح	تنوين ضم	تنوين كسر
....	....	....
....	....	....
....	....	....
....	....	....
....	....	....

همزة الوصل وهمزة القطع

اقرأ الجمل التالية :

١- أَكَلَ أَحْمَد طعاماً لَذيذاً

أَحْمَد أَكَلَ طَعاماً لَذيذاً

٢- أَمَرَ أَسْعد أَخاهُ أَنْ يَفْتَحَ البابَ

أَسْعَدَ أَمَرَ أَخاه أَن يَفْتَحَ البابَ

١- أَلْـمسافرُ عادَ إِلى وطنه

عادَ المسافرُ إِلى وطنه

٢- أَلْولد شَرِبَ الماءَ

شَرِبَ الولدُ الماءَ

٣- سامي في الملعب والْمُعَلِّمُ في الصَّفِّ

* ملاحظة : **همزة القطع تلفظ دائماً حيث وقعت ؛ أما همزة الوصل فهي تلفظ في أول الكلام ولا تلفظ في وسطه .**

الألف المقصورة

لَيْلَى	رُلَى
عيسَى	موسَى
مَشَى	رَمَى
كَوَى	اشترَى
أَقْوَى	أَحْلَى

ذَهَبَ عيسَى إِلى المَقْهَى.

لَعِبَتْ مُنَى مَعَ هُدَى.

زارَتْ رُلى المَرْضَى في المُسْتَشْفَى.

ذَهَبَتْ لَيْلَى إِلى المَلْهَى.

قَدَمَتْ سَلْوَى الحَلْوى إِلَى نُهَى.

رَمَى موسَى الْكُرَةَ إِلى مُصْطَفَى.

اقرأ الجُمل التالية :

فَــتَحَ ســعيـــدٌ بابَ البَــيْتِ .

شَمَّ حــامِــدٌ الْوَرْدَ والْيــاسَــمين .

رَسَـــــــمْتُ مَـعَ الْمُــدَرِّسِ .

شَــــــرِبَ الْـولَـدُ المـاء .

فَــرِحَ وليـــدُ بلقـــاءِ الْمُعَلِّم .

جَــمَـعَتْ حَنانُ وَرْدَ الْبــسْــتَــان .

أَعْــلَــنَ الْمُــدَرِّسُ بِــدايــةَ الــدَّرْسِ .

ســافَــرَتْ سُــعَــادُ إلى السُّــعــودِيَة .

سَــعَــدَ سَــمــيــرٌ بِنورِ الشَّــمْسِ .

ملاحظة : يتم التركيز من قبل المدرِّسة على : أل الشمسية وأل القمرية والشدة .

النَّملَةُ وَ الحَمامَة

حاولَتْ نَملَةٌ الاقترابَ من النَّهرِ لَتشْرَبَ، فَسَقَطَتْ في الماءِ وكادَتْ تَغْرَقُ، رَأَتْها حمامةٌ فرَقَّ قَلْبُها علَيْها وأَلْقَتْ إِلَيّها قَشَّةً، فتعلَّقَتْ بِها النَّمْلَةُ وَنَجَتْ من المَوْتِ.

شَكَرَتِ النَّمْلَةُ الحمامَةَ عَلَى مَعْروفِها، وذاتَ يَوْمٍ مَرَّ صَيّادٌ بالمكانِ وشاهَدَ الحمامَةَ وأَرادَ أَن يَصيدَها. رَأَتْهُ النَّمْلَةُ فَأَسْرَعَتْ إِلَيهِ وَعَضَّتْهُ في رِجلِه قَبْلَ أَن يُطْلِقَ النّارَ.

تَأَلَّمَ الصَّيادُ ومَدَّ يَدَهُ إِلى رِجلِهِ فَطارَتِ الحمامَةُ وَتَخَلَّصَتْ مِنَ الموْتِ بِفَضْلِ النَّمْلَةِ.

أجب عن الأسئلة:

لماذا اقْتَرَبَتِ النَّمْلَةُ من النَّهرِ؟

....

أَيْنَ سَقَطَتِ النَّمْلَةُ؟

....

من كتاب كليلة ودمنة بتصرف

ماذا أَلْقَتْ لَها الحمَامَةُ ؟

....

كيف نَجَتِ النَّمْلَةُ مِنَ الْغَرَقِ ؟

....

ماذا شاهَدَ الصَّيّادُ عِنْدَما مَرَّ بالْمَكانِ ؟

....

ماذا فَعَلَتِ النَّمْلَة بِالصَّيادِ ؟

....

ماذا حَدَثَ للصَّيادِ ؟

....

كَيْفَ نَجَتِ الْحَمَامةُ ؟

....

الغُراب والثّعلب

خَطَفَ غُـرابٌ قطعـةَ جُـبْنٍ، وَطارَ بِهـا وَحَطَّ عَلى غُـصْنِ شَجَرَةٍ، مرَّ ثَعْلَبٌ جائِعٌ، فَشاهَدَ الغُرابَ وَفي مِنْقارِه قِطْعَةَ الجبن، فَكَّرَ في حيلةٍ يأْخُذُ بها قطْعَةَ الجبن.

قـالَ الثَّعْلَبُ للغُـرابِ: مـا أَجْـمَلَ ريشَكَ! ومـا أَجْـمَلَ صوْتَكَ! غنِّ لي لأَسْمَعَ صوْتَكَ، صدَّقَ الغُرابُ كَلامَ الثَّعْلَبِ المُحْتـالِ وَفَـتَحَ مِنْقـارَهُ لِيُـغَنّي فَـوَقَـعَتِ الجُـبْنَـةُ عَلى الأَرْضِ، فَالتَـقَطَهـا الثَّعْلَبُ وأَكَلَهـا. حَزِنَ الغُـرابُ كَثيـراً، وَعَلِمَ أَنَّ الثَّعْلَبَ احتالَ علَيه.

أجب عن الأسئلة:

ماذا خَطَفَ الغُرابُ؟

....

أَيْنَ حَطَّ الغُرابُ؟

....

من كتاب كليلة ودمنة بتصرف

ماذا شاهَدَ الثَّعْلَبُ؟

....

بِماذا فَكَّرَ الثَّعْلَبُ؟

....

ماذا قالَ الثَّعْلَبُ لِلْغُرابِ؟

....

هَلْ صَدَّقَ الْغُرابُ ما قالَهُ الثَّعْلَبُ؟

....

ماذا كانَتِ النَّتيجَةُ؟

....

العائلة

عادَ غسّان وغيدة من المَدْرَسَةِ في السّاعَةِ الثّالثة وَعِنْدَما وَصَلَ الْوَلَدان كانَت الأُمُّ مشْغولَةً بِإعْداد الطّعامِ فَأَسْرَعَ غسّان إِلَى الحَديقَةِ وأَخَذَ يَلْعَبُ بالطّابَةِ مَعَ كَلْبِه «بو»، أَمّا غيدة فَقَدْ دَخَلَتْ إلى الْبَيْتِ لِتُساعِدَ أُمِّها في تَحْضيرِ الطّعامِ ثُمَّ انصرفَتْ مَعَ أَخيها لِلدِّراسَةِ، وَلَمَّا عادَ الأَبُ في المَساءِ مِنْ عَمَلِه أَسْرَعَت غيدة لِلسّلامِ عَلَيْه قائلة أَهْلاً وَسَهْلاً. دَخَلَ الجَميعُ وَجَلَسُوا يَتَحَدَّثونَ وَبَعْدَ قليلٍ حانَ وَقْتُ العَشاءِ فَجَلَسوا حَوْلَ الطّاولَةِ يَأْكُلونَ الطّعامَ اللّذيذَ الّذي أَعَدَّتْهُ الأُمُّ؛ فَمَا أَجْمَلَ حياةَ الْعائِلَةِ.

أجب عن الأسئلة :

متى عادَ غسّان وغيدة مِن المدرسةِ ؟

....

بماذا كانت الأم مشغولة ؟

....

إلى أين أسرع غسّان ؟ ولماذا ؟

....

لماذا دخلت غيدة إلى البيت ؟

....

متى عاد الوالد إلى البيت ؟

....

ماذا فعلت غيدة ؟

....

ماذا فعل الجميع عندما حان وقت العشاء ؟.

....

من أعدَّ الطعام اللذيذ للعائلة ؟.

....

هل تحب حياة العائلة ؟.

....

كم عدد أفراد عائلتك ؟.

....

جُحا وَ الْعَسلُ

ذاتَ يَوْمٍ دَخَلَ ضَيْفٌ عَلَى جُحا بينَما كانَ يَأْكُلُ خُبْزاً وَعَسَلاً فَأَسْرَعَ جُحَا وَأَخْفَى الخُبْزَ فَقالَ لَهُ الضَّيفُ: أَهذا عَسَلٌ يا جُحا؟ آتني برَغيفٍ حَالاً. فَأَجَابَهُ جُحا: وَاللّٰه يا صَديقي لَقدْ أَكَلْتُ الخُبْزَ كُلَّهُ، والْعَسَلُ لا يُؤْكَلُ بِدون خُبْزٍ، فَشَمَّرَ الضَّيْفُ عَنْ ساعِديه وَأَخَذَ يَلْعقُ الْعَسَلَ، فَصَرَخَ بِهِ جُحا غاضِباً: مَهْلاً يا صَديقي: إِنَ العَسَلَ يَحْرُقُ قَلْبَكَ بِدونِ خُبْز، فَأَجَابَهُ الضَّيفُ: إِنَّ قَلْبَكَ هُوَ الذّي احْتَرَقَ عَلَى الْعَسَلِ الذي أَكَلْتُهُ.

أجب عن الأسئلة:

ماذا كانَ جُحا يَأْكُلُ؟

....

مَنْ دَخَلَ عَلَيْهِ؟

....

لماذا أَخْفى جُحَا الخُبْزَ بِسُرْعَةٍ؟

....

ماذا طَلَبَ الضَّيفُ مِنْ جُحا ؟

....

بماذا أَجابَهُ جُحَا ؟

....

ماذا فَعَلَ الضَّيْفُ؟

....

ماذا قالَ جُحا لِلْضَّيْفُ ؟

....

بِـماذا رَدَّ عَلَيْهِ الضَّيف ؟

....

ما رَأّيُكَ بِجُحا هَلْ هُوَ بَخيلٌ أَمْ كَريمٌ؟

....

اليمامة الحمقاء

كانَت اليَمَامَةُ تَعيشُ في عُشَّها مُطْمَئِنَّةً. وَفي أَحَد الأيامِ أَتَى صَيّادٌ إِلى الْبُسْتانَ يُفَتَّشُ عَنْ صَيْدٍ، فَلَمْ يَجدَ شَيْئاً. ولما أرادَ أَنْ يَتْرُكَ المكانَ، خَرَجَت الْيَمامَةُ من عُشِّها وَغَنَّتْ بِصَوْتِها الْجَميلِ فَرآها الصَّيادُ وَأَطْلَقَ عَلَيْها النّارَ وصادَها. نَدِمَت الْيَمامَةُ على ما فَعَلَتْ وَقالَتْ: سَلامَتي كانَتْ في صَمْتي.

أجب عن الأسئلة:

كَيْفَ كانَتِ تَعيشُ الْيَمامَةُ؟

....

مَنْ أَتى إِلَى الْبُسْتانِ؟

....

من كتاب كليلة ودمنة

هَلْ وَجَدَ الصَّيَّادُ شَيْئاً؟

....

ماذا فَعَلَتِ الْيَمامَةُ قَبْلَ أَنْ يَخْرُجَ الصَّيَّادُ؟

....

ماذا فَعَلَ الصَّيَّادُ؟

....

هل نَدِمَتِ الْيَمامَةُ

....

وَماذا قالَتْ؟

....

الفاكهة والخضار

أكمل أسماء الفاكهة والخضار :

ـطيخ

ـوت

ـمر

ـوخ

ـندورة

جاص

ـسّ

ـزر

ـفّاح

ـاذنجان

رز

ـنب

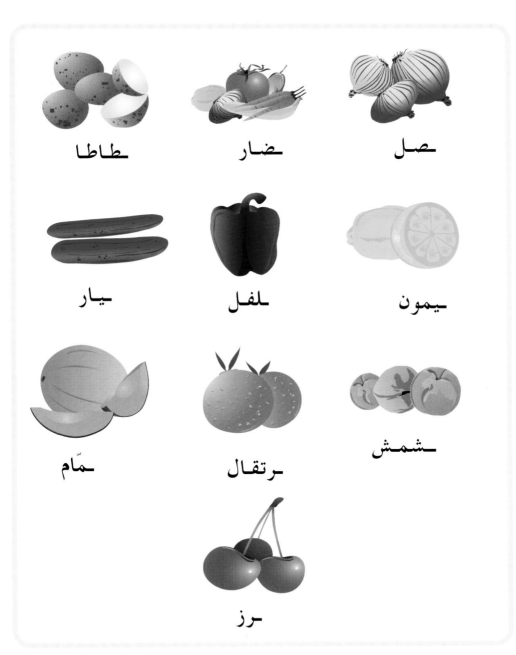

ـصل

ـضار

ـطاطا

ـيمون

ـلفل

ـيار

ـشمش

ـرتقال

ـمّام

ـرز

الحيوانات

أكمل أسماء الحيوانات :

ـمكة

ـمل

ـمامة

ـبي

ـرد

رافة

ـقر

ـفدع

ـطة

ـيل

ـراشة

ـرش

أكمل أسماء الأشياء الآتية :

ـرة   ـاب   ـاج   ـلج

ـبل   ـذاء   ـاتم   ولاب

يل   اديو   رّ   ـرير

ـمس   ـابون   ـرس   ـبل

ـرف   ـلم   ـصن

السلام والتعارف

الجهات الأربعة

نظام التعليم

الوطن العربي – والعواصم – والجنسيات

العائلة

الصلاة ومكانها – الصوم

الأعداد

التقويم الهجري والتقويم الميلادي

الوقت

الفصول الأربعة

الألوان

الوحدة التاسعة

وُقوفٌ ومُصافَحَةٌ بِالْيَدِ (لِلْغَريبِ) .

وُقوفٌ ومُصافَحَةٌ بِالْيَدِ ثُمَّ قُبَلاتٌ عَلَى الْخَدِّ الأَيْمَنِ والْخَدِّ الأَيْسَرِ (في أَكْثَرِ دُوَلِ الْوَطَنِ الْعَرَبِيِّ) .

أَهْلُ الإِماراتِ تَحِيَّةُ الرِّجالِ تَكونُ بِالْمُصافَحَةِ والسَّلامُ بِالأَنْفِ (مخاشْمة) ثُمَّ تَقْبيلُ الرَّأْسِ والكتفِ دلالَةً على شدةِ الاحْترامِ .

أَهْلُ الإِماراتِ تَحِيَّةُ النِّساءِ تَكونُ بِالمصافَحَةِ والتقبيلِ مِن الرَّأْسِ أَو الكتفِ دلالَةً على شدةِ الاحْترامِ .

How to greet?

Most Arab Countries

    * Stand up and shake hands (with strangers).

    * Stand up, shake hands and kiss both cheeks for family members and friends.

Men In the Gulf

    Shake hands and touch noses

    To express respect to the elderly, kiss the forehead and the shoulder.

Ladies In the Gulf

    Shake hands and kiss both cheeks

    To express respect to the elderly, kiss the forehead and the shoulder.

تحيات وتَعارُف

١- المدرس : السَّلامُ عَلَيْكُمْ .

التلميذ : وَعَلَيْكُمُ السَّلام .

المدرس : كَيْفَ حالُكَ ؟؟

التلميذ : بِخَيْرٍ وَالْحَمْدُ للَّه ، وَأَنْتَ كَيْفَ حالُكَ ؟

المدرس : بِخَيْرٍ وَالْحَمْدُ للَّه .

المدرس : مَعَ السَّلامَةِ ، في أَمانِ اللَّهِ .

٢- المعلم : مرحباً ، مَساءُ الخَيرِ .

التلميذ : مرحباً ، مَساءُ النّورِ .

المعلم : كَيْفَ حالُكَ ؟

التلميذ : بِخَيْرٍ وَالْحَمْدُ لِلَّه ، وَأَنْتَ كَيْفَ حالُكَ ؟

المعلم : بِخَيْرٍ .

التلميذ : مَعَ السَّلامَةِ ، اللَّهُ مَعَكَ .

٣- المعلم : صباحُ الخيرِ .

التلميذ : صباحُ النُّورِ .

المعلم : اسْمي فَرِيْد ، وَأَنْتَ ما اسْمُكَ ؟

التلميذ : اسْمي سمير ، فرصة سعيدة .

المعلم : فُرْصَةٌ سَعِيدَةٌ ، تَشَرَّفْتُ بِمَعْرِفَتِكَ .

التلميذ : إِلى اللِّقاء .

المعلم : مَعَ السَّلامَةِ .

لقاء وتعارف

٤ - الأستاذ : أهلاً مايكل .

مايكل : أهلاً وسهلاً يا أستاذ ، كيف حالك ؟

الأستاذ : بخير ، شكراً ، إلى أين أنت ذاهب ؟

مايكل : إلى المطعم ، أعرفك هذا صديقي جون .

الأستاذ : أهلاً وسهلاً جون ، أنا سعيد بمقابلتك .

جون : أهلاً وسهلاً . فرصة سعيدة .

الأستاذ : ما جنسيتك ؟

جون : أنا أمريكي ، وأنت ما جنسيتك ؟

الأستاذ : أنا مصـــري .

جون : هل أنت ذاهب إلى المطعم ؟

الأستاذ : لا ، أنا ذاهب إلى المكتبة .

جون ومايكل : مع السلامة ، إلى اللِّقاء .

الأستاذ : مع السلامة .

الجهات الأربعة

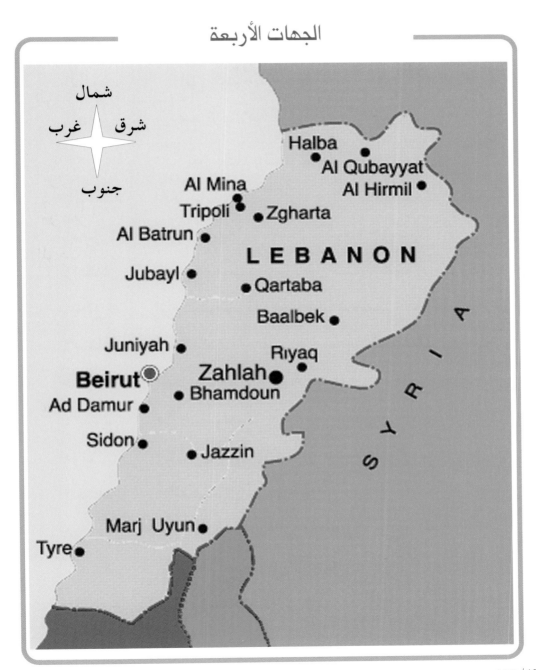

نظام التعليم

الرَوْضَةُ أو (التمهيدي)- رَوْضَةٌ أُوْلَى- سن القبول (٣سنوات)
رَوْضَةٌ ثانيَة- سن القبول (٤سنوات)
المَرْحَلَةُ الابْتدائيَّةُ (١-٥) مِنَ الصَّفِّ الأَوَّلِ حتى الخامسِ
المَرْحَلَةُ الإعْداديِّةُ (٦-٨) مِنَ الصَّفِّ السَّادس حتى الثَّامنِ
المَرْحَلَةُ الثَّانويَّةُ (٩-١٢) مِنَ الصَّفِّ التَّاسِعِ حَتَّى الثَّاني عَشَر.

The Educational System: differs from country to country

Most of the Gulf

* KG1 Children are admitted to school at the age of three.
* KG2 Children are admitted to school at the age of four.
* G1 to G6 Elementary Classes. Children are admitted to grade one at the age of five.
* G7 to G9 Intermediate Classes.

Other Arab Countries

* Preschool Children are admitted to school at the age of three.
* KG1 Children are admitted to school at the age of four.
* KG2 Children are admitted to school at the age of five.
* G1 to G5/G6 Elementary Classes.
* G7 to G9 Intermediate Classes.
* G10 to G12 Secondary Classes.

MOROCCO
WESTERN SAHARA
MAURITANIA
SENEGAL
THE GAMBIA
ALGERIA
TUNISIA
LIBYA
EGYPT
SUDAN
ERITREA
DJIBOUTI
LEBANON
SYRIA
JORDAN
IRAQ
KUWAIT
BAHRAIN
QATAR
SAUDI ARABIA
U.A.E
YEMEN
OMAN

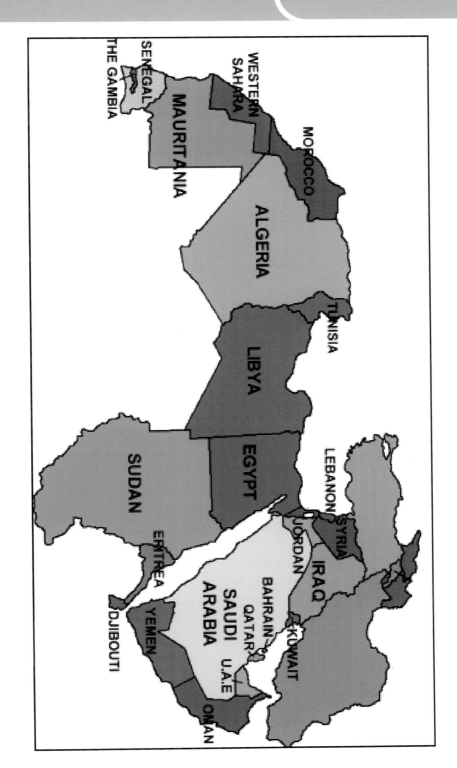

الجنسيات في الوطن العربي

الجنسية	العاصمة	البلد
سُعودِيّ	الرِّياضُ	السُّعودِيَّة
مِصْرِيّ	القاهِرَةُ	مِصْرُ
سُورِيّ	دِمَشْقُ	سُورِيا
أُردُنِيّ	عَمَّانُ	الأُرْدُنُ
عُمّانِيّ	مَسْقَطُ	عُمّانُ
عِراقِيّ	بَغْدادُ	العِراقُ
يَمَنِيّ	عَدَنْ	اليَمْنُ
سودانِيّ	الخُرطومُ	السّودانُ
كُوَيْتِيّ	الكُوَيْتُ	الكُوَيْتُ
بَحرينيّ	المَنامَةُ	البَحْرَيْنُ

قَطَرُ	الدَّوْحَةُ	قَطَرِيّ
فِلَسْطينُ	الْقُدْسُ	فِلسْطِينِيّ
لُبْنانُ	بَيْروتُ	لُبْنانِيّ
ليبيا	طرابلس الغرب	ليبيّ
تُونِسُ	تونس	تونسيّ
المغْرِبُ	الدَّارُ البَيْضَاءُ	مَغْرِبيّ

العائلة ....

يشير الطالب إلى الصورة ويقول :

أم – أب – أخ – أخت – خال

خالة – عم – عمة – جد – جدّة

إبن العم – إبنة العم – إبن الخال – إبنة الخال – الحفيد

إبن الأخ – إبن الأخت– إبنة الأخ – إبنة الأخت

الصَّلاة ومكانها

المسلم	المسجد
المسيحي	الكنيسة
اليهودي	الكنيس
الهندوسي	المعبد
البوذي	المعبد

الصَّوم

الصَّومُ عنْدَ المُسلمينَ، هُوَ الامتناعُ عَنْ الطّعامِ والشَّرابِ من طلوعِ الشَّمْسِ حَتَّى غُروبها.

في دُوَلِ الخَليجِ العَربِيِّ يُمْنَعُ فَتْحُ المطاعمِ طِوالَ النَّهارِ حَتَّى وَقْتِ الإِفْطارِ، ويُمْنَعُ الطَّعامُ والشَّرابُ في الشَّوارِعِ والفنادِقِ والمَطاعِمِ في ساعاتِ النَّهار.

Praying & Prayer Places

* Moslem	:	Mosque
* Christian	:	Church
* Jew	:	Synagogue
* Buddhist and Hindu	:	Temple

Fasting

Fasting for Moslems is refraining from eating and drinking from sunrise to sunset.

In the Arabian Gulf, restaurants are not allowed to open their doors to customers prior to sunset. Eating and drinking is forbidden in public places, i.e. streets, hotels and restaurants, before sunset.

الأرقام والأعداد

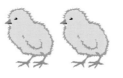

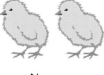

١ ٢ ٣

٤ ٥ ٦

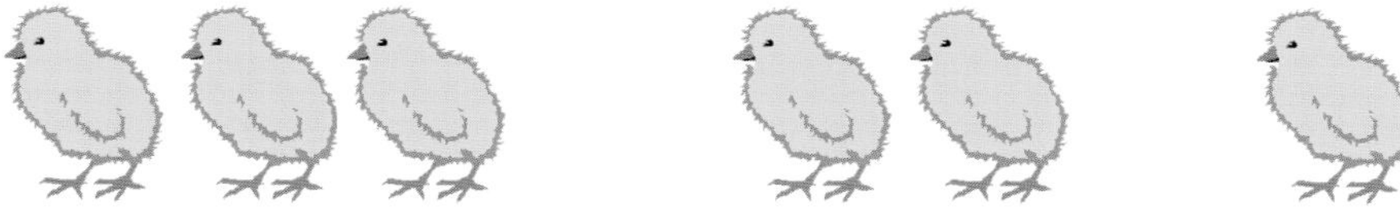

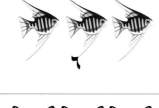

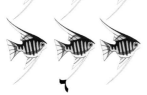

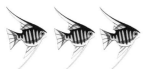

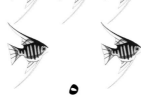

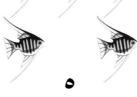

٧ ٨ ٩

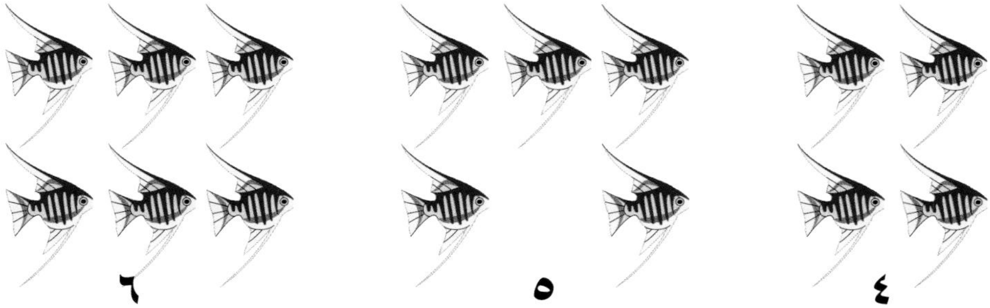

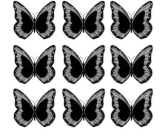

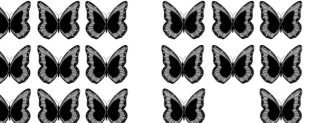

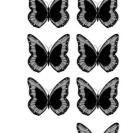

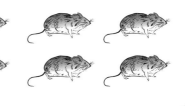

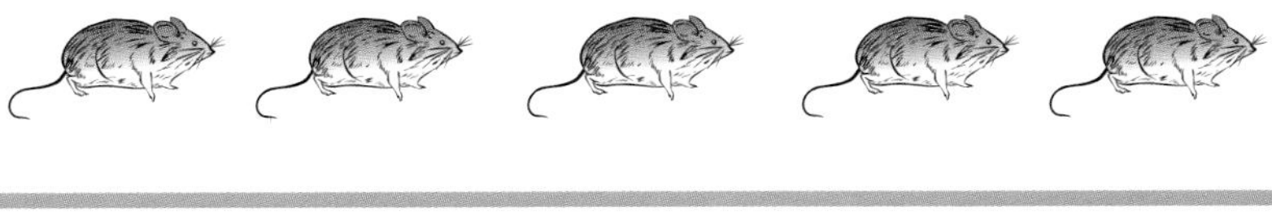

١٠

اقرأ :

١٥ خمسة عشر	٨ ثمانية	١ واحد
١٦ ستة عشر	٩ تسعة	٢ إثنان
١٧ سبعة عشر	١٠ عشرة	٣ ثلاثة
١٨ ثمانية عشر	١١ أحد عشر	٤ أربعة
١٩ تسعة عشر	١٢ إثنا عشر	٥ خمسة
٢٠ عشرون	١٣ ثلاثة عشر	٦ ستة
	١٤ أربعة عشر	٧ سبعة

٤٠ أربعون	٣٠ ثلاثون	٢٠ عشرون
٧٠ سبعون	٦٠ ستون	٥٠ خمسون
١٠٠ مئة	٩٠ تسعون	٨٠ ثمانون
		١٠٠٠ ألف

التَقويمُ الهِجريّ (الإسلاميّ)

شُهور السنةِ الهِجريّة :

١ – مُحَرَّم
٢ – صفَر
٣– رَبيعُ الأوَّل
٤– رَبيعُ الآخِر (الثاني)
٥– جُمادى الأولى
٦– جُمادى الآخِرة (الثانية)
٧– رَجَب
٨– شَعبان
٩– رَمَضان
١٠ – شَوّال
١١ – ذو القعْدة
١٢ – ذو الحِجّة

ربيع الثاني ١٤٢٥ هـ

السبت	الأحد	الإِثنين	الثلاثاء	الأربعاء	الخميس	الجمعة
١٧	١٨	١٩	٢٠	٢١	٢٢	٢٣

التَقويمُ الميلادي

الرزنامة

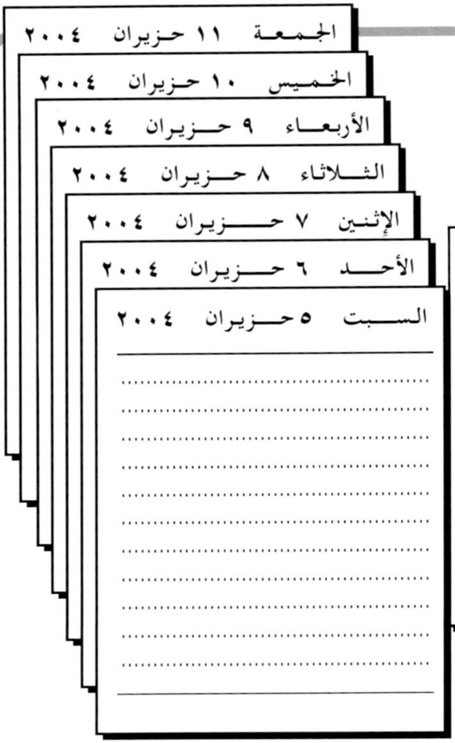

الجمعة ١١ حزيران ٢٠٠٤
الخميس ١٠ حزيران ٢٠٠٤
الأربعاء ٩ حزيران ٢٠٠٤
الثلاثاء ٨ حزيران ٢٠٠٤
الإثنين ٧ حزيران ٢٠٠٤
الأحد ٦ حزيران ٢٠٠٤
السبت ٥ حزيران ٢٠٠٤

أيلول ٢٠٠٤

السبت	الأحد	الإثنين	الثلاثاء	الأربعاء	الخميس	الجمعة
						١
٢	٣	٤	٥	٦	٧	٨
٩	١٠	١١	١٢	١٣	١٤	١٥
١٦	١٧	١٨	١٩	٢٠	٢١	٢٢
٢٣	٢٤	٢٥	٢٦	٢٧	٢٨	٢٩
٣٠						

شُهور السنةِ الميلادية :

١- كانون الثاني / يناير
٢- شباط / فبراير
٣- آذار / مارس
٤- نيسان / إِبريل
٥- أيار / مايو
٦- حزيران / يونيو
٧- تموز / يوليو
٨- آب / أغسطس
٩- أيلول / سبتمبر
١٠- تشرين الأول / أُكتوبر
١١- تشرين الثاني / نوفمبر
١٢- كانون الأول / ديسمبر

ماذا تفعل في أيام الأسبوع ؟

يـوم الـسـبـت
....

يـوم الأحـد
....

يـوم الإثـنـين
....

يـوم الـثـلاثـاء
....

يـوم الأربـعـاء
....

يـوم الـخـمـيـس
....

يـوم الـجـمـعـة
....

الساعة والوقت

كَمِ الساعَةَ ؟

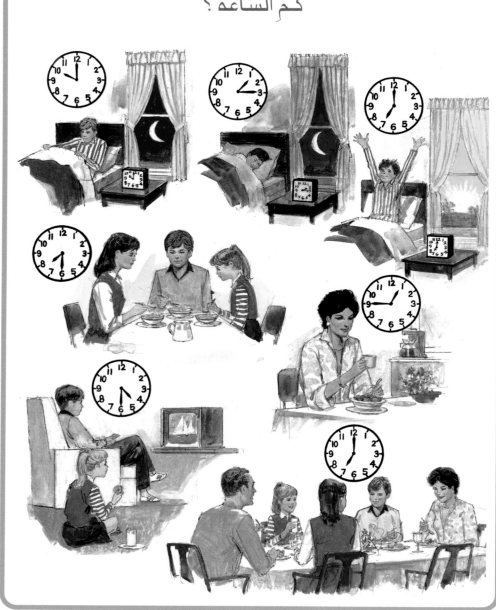

كَمِ الساعَة ؟

١

٢

٣

٤

٥

٦

٧

٨

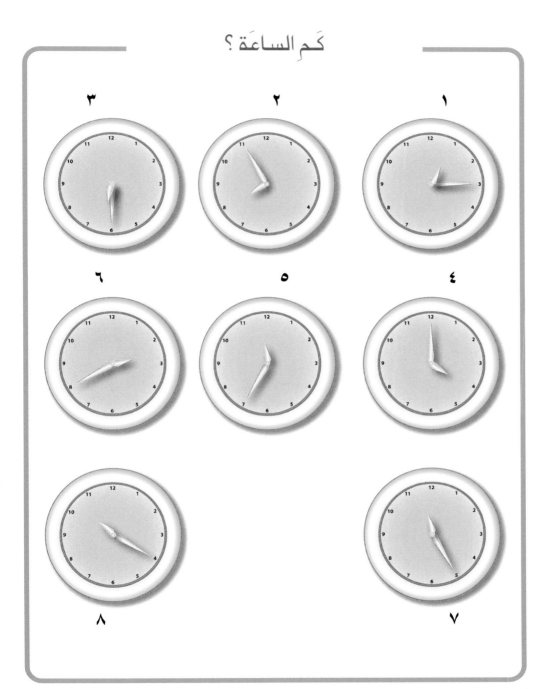

يوجه المدرس السؤال لكل طالب أو طالبة، وسوف تكون الأجوبة مختلفة.

ماذا تفعل أنتَ؟ أنتِ؟

في الساعة

٨ صباحاً ....

٩ صباحاً ....

١٠ صباحاً ....

١١ صباحاً ....

١٢ ظهراً ....

١ بعد الظهر ....

٢ بعد الظهر ....

٣ بعد الظهر ....

٤ بعد الظهر ....

٥ بعد الظهر ....

٦ بعد الظهر ....

٧ مساء ....

أيام العطلة الرسمية

يوما الخميسِ وَالجُمْعَةِ في دُوَلِ الخَليجِ العَرَبِيِّ.

أو يوما السَّبتِ وَالأَحَدِ في لبنان

أو يوم الجُمْعَةِ والسَّبْتِ في سوريا

– تُعَطَّلُ الدَّوائِرُ الحُكوميَّةُ والمدارِسُ في المُناسَباتِ والأَعْيادِ الدِّينيَّةِ وَالْوَطَنيَّةِ.

Holidays

Weekends

* Thursdays and Fridays in most of the Gulf
* Fridays and Saturdays in Qatar and Syria (companies dealing with the west)
* Saturdays and Sundays in Lebanon

Other Holidays:

Religious and National Days

الفصول الأربعة والطقس

الشتَاء الربيع الصَّيف الخريف

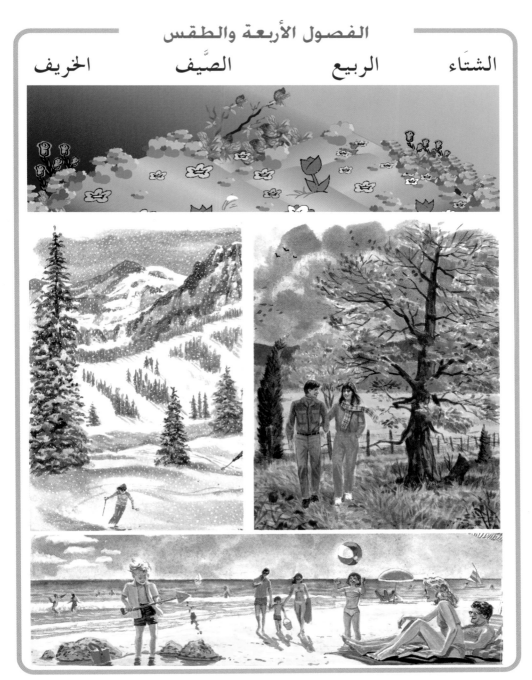

اللباس

نظراً لارتفاع دَرَجَةُ الحرارَةِ في مُعْظَمِ بُلْدانِ الخَليجِ العربِّي، فإنَّ أَهْلَ الخليجِ مِن الرّجالِ يَلْبسونَ الدِّشْداشَةَ أو «الكَنْدورَة» البَيْضاءَ اللَّونِ + الغتْرَةَ + العِقال (أسود) والفانيلا، والوِزار.

أما النِّساءُ فَالْكَنْدورَةُ أو «الجلابيَّةُ» وَفَوْقَها عباءَةٌ سَوْداءُ، وغِطاءُ الرَّأْسِ «الشيلة» وَكِبارُ السِّنِّ يَضَعْنَ الْبُرْقِعَ عَلَى الوَجْهِ الِّقاب.

Dress Code

In the Gulf:

Due to the heat

- most men wear the white dish dash called (kandoora) and cover their heads with a white scarf (ghitra) supported by a black belt (egal). For official ceremonies, they put ('abaya) on top of the (kandoora).
- Ladies wear the (kandoora) or long dresses (jallabia) covered by a black ('abaya) and cover their heads with a black veil.

In other Arab Countries:

For ladies as well as for men, the daily dress code is the European style. Religious ladies wear long sleeves, long dresses/skirts and cover their heads with a scarf.

الألـــوان

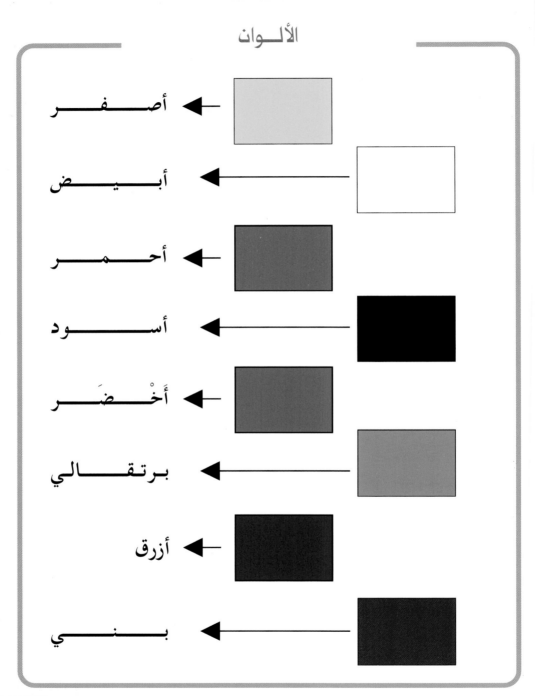

أصـــفــــر ←

أبـــيـــض ←

أحـــمـــر ←

أســـود ←

أَخْـــضَـــر ←

بـرتقـــالـي ←

أزرق ←

بـــنـــي ←

المحتويات